FOLIO JUNIOR/**FAIS-MOI PEUR!**

Déjà parus dans la série

FAIS-MOI PEUR!

Pour en savoir plus,
rendez-vous à la p. 127

Diana G. Gallagher

L'histoire du chat diabolique

Traduit de l'américain
par Vanessa Rubio

FAIS-MOI PEUR !

FOLIO JUNIOR/**GALLIMARD** JEUNESSE

Pour ma fille, Chelsea Ann Streb,
avec amour et affection

Titre original : *The Tale of the Curious Cat*
Édition originale publiée par Pocket Books,
une division de Simon & Schuster, New York, 1996
© Viacom International Inc., 1996, tous droits réservés
Adapté de la série télévisée Nickelodeon intitulée : *Are You Afraid of the Dark ?*
© Gallimard Jeunesse, 1999, pour la traduction française
Couverture : © Daniel Allisy Sea and See pour la photographie du 1er plat
© Broeck Steadman pour l'illustration de la 4e de couverture

Attention, suivez bien le sentier! Vous avez failli tomber.

Je m'appelle Betty Ann, mais vous ne pouvez pas me voir. D'ailleurs vous ne voyez rien du tout parce que vous avez les yeux bandés. Mais de toute façon, ici, il fait nuit noire, et la torche de Gary n'a plus de pile, alors nous n'y voyons rien non plus. C'est une nuit sans lune. Une épaisse couche de nuages cache les étoiles. Et une gigantesque tempête se prépare...

Tout le monde devrait avoir peur ce soir... pas seulement vous, soyez rassuré!

Enfin, vous voilà arrivé parmi nous, sain et sauf. Asseyez-vous sur cette bûche pour vous réchauffer près du feu. Avec un peu de chance, je vais avoir le temps de raconter l'histoire de ce soir avant qu'il se mette à pleuvoir. Cet orage qui couve, c'est le temps idéal pour une réunion de la Société de Minuit et... pour mon histoire.

Nous n'acceptons pas n'importe qui parmi nous. Nous vous avons invité parce que vous vous intéressez beaucoup à nos rencontres secrètes et à nos histoires d'épouvante. Comme vous êtes très curieux, ça vous intrigue. Bien sûr, je sais que la curiosité n'est pas toujours un vilain défaut. C'est elle qui pousse les savants à explorer l'univers, qui incite les ingénieurs à créer de nouvelles machines et qui fait que les petits enfants posent des questions sans fin. Mais trop de curiosité peut attirer des ennuis, surtout quand on se laisse emporter par l'envie de savoir sans se préoccuper des conséquences !

C'est ce qui est arrivé à Nathalie Holland, par exemple.

Nathalie avait la manie de satisfaire sa curiosité dévorante sans réfléchir. Et cela finissait toujours en catastrophe : par sa faute, ses amis et sa famille se retrouvaient dans des situations impossibles ! Mais peu importe, Nathalie ne pouvait résister au désir d'en savoir plus, toujours plus. Jusqu'au jour où...

Attendez, il vaudrait mieux que je revienne un peu en arrière. Je sais que vous mourez de curiosité, mais laissez-moi reprendre l'histoire au commencement.

Avec l'approbation de la Société de Minuit, j'ai intitulé cette aventure : L'Histoire du chat diabolique.

CHAPITRE 1

Tu vas être super mignonne, Jane. Je t'assure.

Nathalie Holland essaya de rassurer son amie avec un sourire encourageant. Une serviette en turban autour de la tête, Jane s'observait dans le miroir de sa salle de bains, l'air inquiet.

– J'espère… ça vaudrait mieux pour toi, je te préviens. C'est la première fois de ma vie que je me laisse entraîner dans un truc aussi dingue.

– Eh ! C'est toi qui a voulu changer de couleur, Jane. Tu en avais assez de tes cheveux châtains, lui rappela son amie. Et de toute façon, ce n'est pas dingue de vouloir quelques mèches blondes !

– Mm… le problème c'est que tu n'avais jamais fait de décoloration avant.

– D'accord, mais je sais lire un mode d'emploi, quand même.

Nathalie s'était beaucoup amusée à jouer les apprenties coiffeuses. Le plus périlleux avait été de passer les cheveux de Jane par les petits trous du bonnet en plastique. Surtout qu'elle se mettait à hurler dès que Nathalie tirait un peu trop fort. Mais la suite des opérations s'était déroulée sans aucun problème.

Nathalie reprit l'emballage du kit de coloration dans le lavabo.

– J'ai suivi les instructions à la lettre, assura-t-elle.

– Tu parles ! s'exclama Jane. Le mode d'emploi n'indiquait nulle part qu'on pouvait mélanger deux teintes. Et si ça donnait du violet, tu imagines la cata ?

Ses yeux bruns s'élargirent d'horreur.

– Ne t'inquiète pas. C'est une teinture sur mesure, que j'ai réalisée spécialement pour toi. Tu vas avoir une couleur unique au monde, la chance !

Nathalie bouillait d'impatience de découvrir le résultat de son expérience. Dans un élan de créativité soudaine, elle avait mélangé de la teinture blond cendré avec de l'argentée. Normalement, ça devrait être extra !

– Tu es prête, Jane ?

– Aïe, aïe, aïe ! Je n'ose pas regarder.

Jane se tourna dos au miroir en fermant les yeux. Elle croisa les doigts anxieusement et annonça :

– Bon, vas-y.

Avec un sourire triomphal, Nathalie déroula la serviette, puis elle se figea.

– Oh-oh !

Jane ouvrit les yeux, affolée.

– « Oh-oh » quoi ?… Quoi ! ?

– Eh bien, ce n'est pas violet…

Jane se retourna brutalement face à la glace et se mit à hurler :

– Aaaah ! Non, c'est bleu !

Nathalie recula d'un pas et pencha la tête pour observer le résultat.

– Oui, c'est bleu, mais… ce reflet métallisé… ça te va super bien, Jane.

– Tu parles, j'ai l'air d'une folle.

– Tu exagères ! En plus, tu n'as que quelques mèches bleues sur le dessus, le reste est toujours châtain.

– Super ! C'est encore plus joli, comme ça ! répliqua Jane d'un ton ironique. Je me demande pourquoi je t'ai laissée faire. Les mèches, c'était une bonne idée, mais quand tu as voulu mélanger deux teintes, j'aurais dû me méfier. Qu'est-ce qui t'a pris ?

Gênée, Nathalie baissa les yeux et avoua :

– Je voulais voir ce que ça donnerait.

Jane enfouit son visage dans ses mains.

– Génial ! Tu es contente, maintenant ?

– Je pensais que ça serait chouette, Jane, je te jure. Tu sais bien que je ne peux rien essayer sur mes cheveux.

Les cheveux blonds de Nathalie frisaient tellement qu'elle avait dû les couper courts. Même le spray fixant extra-fort ne réussissait pas à dompter ses boucles de mouton.

Jane soupira d'un air désespéré :

– Comment je vais expliquer ça à mes parents ?

– Tu trouveras bien quelque chose, je te fais confiance, la consola Nathalie. Tu n'as qu'à leur dire que c'est top mode.

– Ce n'est pas une raison pour se déguiser en clown.

Jane consulta sa montre et reprit :

– Il est seulement cinq heures et demie. Tu pourrais…

– Quoi ? Déjà ! Il faut que j'y aille.

Comme Nathalie se ruait hors de la salle de bains, son amie lui saisit le poignet pour la retenir :

– Nathalie ! Reviens ! Tu ne peux pas me faire ça. Il faut que tu ailles au supermarché acheter un kit de teinture châtain. On va cacher le bleu avant que mes parents arrivent.

– Non, impossible, Jane. Papa rentre tard du bureau et maman a un dîner d'affaires pour présenter son projet de jardin au conseil municipal. Du coup, je dois garder Carrie.

Sa petite sœur de huit ans était vraiment pénible, mais sa mère la payait pour jouer les baby-sitters.

Jane raccompagna son amie jusqu'à la porte en se lamentant :

– Qu'est-ce que je vais faire ?

Nathalie soupira, désolée de ne pouvoir l'aider.

– A quelle heure rentrent tes parents ?

– Vers sept heures.

– Bon, tu n'as qu'à cacher tes cheveux sous une casquette pour aller au supermarché. Si tu te dépêches, tu as juste le temps de recommencer la teinture avant qu'ils arrivent.

Avec un chouchou, Jane attacha ses cheveux en chignon en soupirant :

– De toute façon, je n'ai pas le choix. Et je vais m'acheter un porte-bonheur en passant à la kermesse. Je crois que je vais en avoir besoin…

– J'y vais, Jane, je suis vraiment en retard ! Salut !

Nathalie se sentait un peu coupable de laisser son amie se débrouiller seule. « Bah ! Je suis sûre que Jane s'en sortira bien sans moi, se persuada Nathalie. Et puis zut ! maintenant, je ne vois pas comment je pourrais l'aider. »

Nathalie descendit l'avenue à toute allure. Sa mère avait travaillé dur sur ses plans de jardin pour la place de la mairie et elle voulait vraiment convaincre le conseil municipal de choisir son projet. Aïe, aïe, aïe ! Si elle arrive en retard à son rendez-vous à cause de moi, elle va être furieuse !

Nathalie déboula comme une furie dans la maison.

– Désolée, maman. Jane a eu un petit problème.

Mme Holland consulta nerveusement sa montre :

– Si je me dépêche, je peux encore arriver à temps. Mais il faut que tu passes à la kermesse déposer mes cookies sur le stand de l'association des parents d'élèves. La boîte est sur la table de la cuisine. Et surtout ne traîne pas en chemin, d'accord ?

Nathalie acquiesça et laissa sa mère finir de se préparer. Elle sentit l'eau lui venir à la bouche en entrant dans la cuisine.

– Miam ! Ça sent bon.

Carrie, la petite sœur de Nathalie, venait de prendre un cookie au chocolat dans une belle boîte ancienne. Elle s'arrêta de grignoter pour expliquer :

– Maman a préparé un gonflé pour son dîner à la mairie.

– Un soufflé, tu veux dire, la corrigea Nathalie.

Carrie fronça les sourcils et secoua la tête d'un air indigné :

– Eh bien, c'est ce que j'ai dit.

Nathalie n'insista pas, elle était bien trop intriguée par ce qui cuisait dans le four. Elle avait déjà mangé un soufflé au fromage, mais elle se demandait comment ça se préparait. La pâte était censée gonfler, mais elle ne voyait rien car la porte du four était pleine de graisse.

– Eh, non, Nathalie ! Il ne faut pas l'ouvrir ! cria Carrie.

– Je veux juste jeter un œil. Je ne vais pas y goûter.

– Mais maman a dit que c'était vraiment difficile de réussir un soufflé. Si tu ouvres la porte, il va s'aplatir comme une crêpe : pfouit !

– Je veux seulement regarder, Carrie ! Ça ne risque rien.

Nathalie entrebâilla la porte du four avec précaution… et le soufflé se dégonfla comme un ballon crevé. Perchée sur la pointe des pieds, Carrie contempla le désastre par-dessus l'épaule de sa sœur :

– Je t'avais prévenue ! Ça va être ta fête, Nathalie !

– Et pourquoi ? Maman ne saura pas que c'est de ma faute.

Nathalie referma vivement le four et saisit la boîte à biscuits.

– Si, je vais le lui dire ! s'exclama Carrie.

Et elle se dirigea d'un pas décidé vers la chambre de sa mère, mais sa grande sœur l'attrapa par le bras.

– Tu n'as pas intérêt. Allez, viens. On sort d'ici.

– Où on va ?

– Porter les cookies à la kermesse.

– Je m'en fiche, je raconterai tout à maman quand elle rentrera.

« Quelle petite peste ! Maman va m'étrangler si elle apprend que c'est moi qui ai gâché son soufflé. » Nathalie se força à rester calme, car si elle se mettait en colère, Carrie aurait encore plus envie de rapporter.

En plus, la dernière bêtise de Nathalie avait mis ses parents sur les nerfs. Bon, c'est vrai, Carrie avait failli se casser un doigt en l'aidant à réaliser une expérience avec une tapette à souris. Heureusement, sa main était potelée et ses os bien protégés par une petite couche de graisse. Du coup, elle s'en était juste sortie avec trois points de suture.

Mais ses parents avaient été catégoriques : à la prochaine catastrophe déclenchée par sa curiosité, Nathalie serait privée de sortie pour un mois !

Alors il valait mieux que l'incident du soufflé n'arrive pas à leurs oreilles, car elle risquait une sacrée punition.

Elle avait sa petite idée pour éviter la catastrophe…

– Carrie, je t'achète un cône géant chocolat-noisettes si tu jures de te taire, ok ? proposa Nathalie.

Sa petite sœur considéra le marché en fronçant les sourcils. Comme prévu, elle ne résista pas à la tentation.

– D'accord, mais la prochaine fois que je te donne un conseil, écoute-moi. Maman a raison : un jour, ta curiosité te perdra !

Nathalie n'appréciait pas que sa petite sœur lui fasse la leçon.

– Oui, c'est bon, j'ai compris. Mais si personne n'était curieux, on aurait jamais inventé les voitures, ni les ordinateurs, ni la télé, ni rien du tout ! On mangerait encore du mammouth cru dans des cavernes !

– Peut-être mais quand même : « La curiosité est un vilain défaut », claironna Carrie. Tiens, toi qui aimes bien les chats, j'ai encore mieux : « Il ne faut pas réveiller un chat qui dort. »

Nathalie faillit éclater : Grr ! en plus, elle ne pouvait même pas avoir de chat parce que mademoiselle Carrie y était allergique. Voilà, à cause d'elle, elle était obligée de collectionner les chats en bois, en plâtre… mais pas en chair et en os.

Elle soupira et prit sa sœur par la main.

– Allez, viens, dépêche-toi.

De gros nuages noirs assombrissaient le ciel et une rafale de vent glacé les fit frissonner. L'atmosphère était électrique, un orage couvait. Nathalie serra la main de sa sœur nerveusement : ce temps menaçant lui donnait la chair de poule.

CHAPITRE 2

Le temps que Nathalie et Carrie atteignent le centre-ville, les nuages noirs s'étaient un peu dispersés. Mais le rayon de soleil qui perçait ne suffit pas à dissiper l'angoisse de Nathalie : elle avait l'impression qu'un drame terrible allait se produire.

En plus, Carrie n'arrêtait pas de parler : elle lui rappelait tous les incidents qu'elle aurait préféré oublier. « La peste, elle va se taire ! C'est elle qui me rend nerveuse en fait ! »

– Tu te souviens du gâteau d'anniversaire de papa ?

– Ça fait déjà deux ans, Carrie !

A l'époque, Nathalie avait onze ans. Pour l'anniversaire de son père, elle avait voulu tenter le record du nombre de bougies sur un seul gâteau : elle avait réussi à en faire tenir cent vingt-sept !

– Quand tu as voulu les souffler, tes cheveux ont pris feu.

– Pff ! Tu exagères, j'ai juste eu une mèche un peu roussie. C'est tout.

– En tout cas, le gâteau était fichu, il était plein de bougie fondue. Maman était furieuse !

Bon, c'était vrai : cent vingt-sept bougies qui coulent sur un gâteau, ça donne un gros tas de cire rose dégoulinante. Leur mère avait dû découper l'intérieur de la génoise et la recouvrir de chantilly en bombe pour rattraper les dégâts !

– Nat, tu me donnes un autre cookie ?

Après un instant d'hésitation, Nathalie céda : si Carrie avait la bouche pleine, elle arrêterait peut-être de parler...

Raté ! Elle continuait à bavarder en mastiquant.

– Et puis tu te rappelles quand tu as voulu mesurer la tortue de Randy Logan, cet été ? Elle a croqué un bout du mètre de couture de sa mère !

– Bah ! Randy a recollé les deux morceaux.

– Oui, mais il manquait les dix centimètres que la tortue avait mangés. C'est pas très pratique pour un mètre ! Randy a dû en repayer un neuf à sa mère. Enfin, heureusement la tortue n'a mordu personne, elle...

En disant cela, Carrie regardait la cicatrice qu'avait laissée la tapette à souris sur son index.

Nathalie soupira. Ce n'était pas de sa faute si ses expériences tournaient toujours mal. Randy aurait dû lui donner une règle en plastique !

– Waouh ! s'exclama Carrie en arrivant sur la place de la mairie, où se tenait la kermesse.

On avait accroché plein de petits drapeaux multicolores, de guirlandes et de ballons un peu partout. Au centre de la place, on avait monté des dizaines de stands qui vendaient des bibelots, des jouets, des boissons, des glaces et des bonbons. Il y avait un manège et on pouvait même monter à poney !

– Ouais ! Je peux faire un tour de poney, dis, Nat ?

– D'accord, quand on aura déposé les cookies.

Ouf ! Carrie allait enfin arrêter de l'assommer avec ses histoires. Nathalie gardait toujours cinq dollars dans sa poche pour aller au cinéma avec ses copines ou pour se payer quelque chose à grignoter. Ça valait le coup de les sacrifier pour faire plaisir à sa petite sœur – et surtout pour la faire taire !

– Pff ! On va mettre une heure pour trouver le stand des parents d'élèves dans ce bazar ! ronchonna Carrie.

– Arrête de râler, Carrie. On a tout notre temps !

– Allez, on fonce !

Dès que le feu passa au rouge, Carrie empoigna la main de sa sœur et la força à traverser la rue. Arrivées à l'entrée de la kermesse, Nathalie eut un mal fou à l'arrêter. Même si Carrie avait cinq ans de moins, elle était presque aussi forte que sa grande sœur !

– Arrête, Carrie. On va faire le tour de la place, ça ira plus vite.

Pour une fois, Carrie était d'accord, ça valait mieux que d'arpenter les allées une par une.

Cinq minutes plus tard, elle s'écria :

– Regarde ! Le voilà !

Elle avait aperçu la grande pancarte de l'association des parents d'élèves de Brookville, de l'autre côté de la place.

– Allez, dépêche-toi, Nat !

– Attends une seconde…

Nathalie venait de repérer une vieille roulotte en bois au bout de l'allée. Ça l'intriguait : on aurait dit une ancienne caravane de forain, comme dans les films en noir et blanc qu'adorait son père.

Sauf qu'au lieu de roues à rayons, la roulotte était équipée de vrais pneus en caoutchouc. Sinon tout le reste était en bois : les cloisons vertes et le toit arrondi rouge sale. Ça avait l'air juste assez grand pour que Nathalie puisse y tenir debout. Bizarre !

– Je veux juste jeter un coup d'œil à cette roulotte, Carrie.

– Ah non ! Et mon tour de poney, alors ? Et ma glace ? Tu m'avais promis !

– C'est bon. J'en ai pour une minute. Tiens, prends un autre cookie.

Il n'allait plus en rester beaucoup pour l'association des parents d'élèves, mais tant pis. C'était le seul moyen de faire tenir Carrie tranquille.

Grignotant son biscuit, elle suivit docilement sa sœur. Nathalie s'approchait avec précaution de la vieille roulotte. Elle était garée un peu à l'écart des autres stands.

Sur une pancarte, on pouvait lire en lettres fanées : *Les Trésors de Wanda*. Au-dessus était accrochée une collection de clochettes à vache retenues par une corde.

Et juste en dessous, il y avait une grande fenêtre, avec un volet de bois. Il était appuyé sur une étagère qui le maintenait ouvert, comme un auvent. Elle était remplie de bric-à-brac : des pots d'herbes médicinales, des jouets en bois, des statuettes, des percussions. Des bouquets de fleurs séchées pendaient à des clous rouillés. Et, par terre, on avait installé une estrade de planches vermoulues, couverte de paniers d'osier de toutes les formes, de poupées en épi de maïs et de piles de plaids en patchwork.

Fascinée, Nathalie se rapprocha. Mais Carrie la retint par un pan de sa chemise :

– Viens, Nat. Ces vieux machins me donnent la chair de poule !

Sans l'écouter, Nathalie se dégagea de son étreinte pour monter sur l'estrade. Le plancher grinça sous son poids et quelque chose se déplaça sur l'étagère !

Nathalie se figea.

– Qu'est-ce qu'il y a, Nat ?

– J'ai vu quelque chose bouger, souffla Nathalie.

Elle s'aperçut alors qu'un chat était pelotonné sur l'étagère. Comme il était noir, on le distinguait à peine à l'ombre de l'auvent. Son poil ébouriffé et sale était couvert de cicatrices grisâtres.

Nathalie soupira :

– Ouf ! C'est juste un chat.

Carrie recula précipitamment en gémissant :

– Argh ! Un chat ! Surtout ne le touche pas, Nat.

– D'accord, ne t'en fais pas.

C'était normal que sa petite sœur s'affole. Dès qu'elle se retrouvait près d'un chat, c'était l'horreur : ses yeux gonflaient et coulaient, elle ne pouvait pas s'arrêter d'éternuer, et parfois même elle se couvrait de plaques rouges qui la démangeaient furieusement !

Un jour, quand Nathalie avait seulement neuf ans, elle avait ramené un chat perdu à la maison. Mais vu la crise qu'avait eue sa petite sœur, leurs parents avaient dû aussitôt déposer l'animal au refuge de la SPA. A l'époque, Nathalie avait vraiment trouvé ça injuste. Pour la consoler, sa mère lui avait offert un chaton en peluche... et c'est comme ça qu'elle avait commencé sa collection.

Nathalie avança sur la pointe des pieds. Elle remarqua alors que le chat avait la queue tordue, sûrement cassée, et l'oreille gauche déchirée.

« Il doit bien être à quelqu'un ce vieux chat », se dit Nathalie. Et elle se risqua à demander :

– Bonjour, il y a quelqu'un ?

Pas de réponse.

Nathalie essaya de regarder par la fenêtre, mais à l'intérieur de la roulotte, il faisait noir comme dans une grotte.

Elle repéra juste un panneau qui disait : *Chez Wanda, des illusions pour toutes les occasions.*

Et elle distingua aussi une boule de cristal qui semblait suspendue dans l'obscurité.

L'angoisse qui lui serrait la gorge un peu plus tôt revint avec encore plus de force, lui coupant la respiration.

Elle recula en titubant. «Pour une fois, je ferais peut-être bien d'écouter Carrie et de m'en aller vite fait d'ici.» Cette roulotte était vraiment sinistre. Elle dégageait une atmosphère lugubre et maléfique.

Alors qu'elle allait faire demi-tour, Nathalie remarqua un autre chat derrière le premier. Intriguée, elle se pencha pour mieux voir. Le chat portait un joli collier en argent gravé. Il dormait roulé en boule, les yeux fermés. Il avait presque l'air vivant... mais il était en bois. Il était sculpté avec tant de détails qu'au premier regard, on aurait dit un vrai. Devant la statuette, un petit carton écrit à la main prévenait les curieux : *Attention ! Ne pas toucher.*

«Attention ? Mais pourquoi ? se demanda Nathalie. Un chat en bois, ça ne griffe pas ! »

– Bonjour, répéta-t-elle.

Toujours pas de réponse.

– Allez, viens, Nat, la supplia Carrie. Il n'y a personne.

Sa sœur ne l'entendit pas. Elle était fascinée par le chat en bois, elle le voulait absolument pour sa collection. Le prix était peut-être en dessous. Il fallait qu'elle sache combien il coûtait, tout de suite.

Nathalie coinça la boîte de cookies sous son bras pour prendre la statuette.

Mais en la soulevant, elle déclencha une catastrophe.

CHAPITRE 3

Le désastre se produisit en quelques secondes seulement. Mais Nathalie vit la scène se dérouler au ralenti, horrifiée et impuissante.

La corde qui retenait les clochettes était attachée au chat en bois. Quand Nathalie le souleva, elles tintèrent toutes en même temps : quel boucan !

Le chat noir se réveilla en poussant un miaulement féroce. Ses yeux jaunes étincelaient de fureur.

Pétrifiée, Nathalie le vit prendre son élan, crachant et soufflant, prêt à lui sauter dessus. Elle fit un bond en arrière, les mains devant la figure. Mais elle trébucha et tomba de l'estrade, lâchant la boîte à biscuits et le chat en bois.

Sous le choc, la boîte s'ouvrit et tous les cookies se répandirent dans la poussière. Pendue à la corde des clochettes, la statuette de chat alla cogner contre la paroi de la roulotte.

– Nathaliiiie ! cria Carrie.

A plat ventre par terre, Nathalie suivait l'enchaînement catastrophique des événements du coin de l'œil, tandis que sa sœur continuait à hurler.

Quand le vrai chat sauta de l'étagère, elle

bascula. Le volet s'abattit brutalement et tout le bric-à-brac – pots d'herbes, jouets et bibelots – alla s'écraser par terre dans un fracas de verre brisé.

Paniqué, le chat s'écarta d'un bond et fit tomber le présentoir des poupées de maïs, qui s'éparpillèrent sur l'estrade. L'animal atterrit dans une pile de paniers et s'emmêla dans les anses d'osier. Affolé, il sauta de l'estrade, emportant un petit panier resté coincé sur la tête. Ainsi aveuglé, il courait droit devant lui comme s'il avait le diable à ses trousses. Il traversa la rue sans rien voir…

… Et heurta une voiture de plein fouet.

Le conducteur ne s'en aperçut même pas et continua à rouler.

Horrifiée, Nathalie se releva précipitamment.

Le chat vola dans les airs et s'aplatit à ses pieds avec un bruit sourd.

Carrie cessa brutalement de crier.

Silence.

Nathalie n'entendait plus que les battements accélérés de son cœur. Figée, elle attendait que le chat se relève, s'ébroue et reparte d'un air fier, comme si de rien n'était.

Il ne bougea pas.

Il ne saignait pas, mais sa langue pendait de sa gueule. Il avait les yeux vitreux et ne respirait plus. Le chat était mort.

– Ne reste pas plantée là, Carrie. Aide-moi.

Paniquée, Nathalie résista à l'envie de s'enfuir

en courant et se mit à ramasser les cookies. Le propriétaire de la roulotte et du malheureux chat risquait d'arriver d'une minute à l'autre, mais sa mère ne lui pardonnerait pas d'avoir abandonné la boîte à biscuits de sa grand-mère et les gâteaux qu'elle avait préparés pour la kermesse.

Carrie se mit à pleurer.

– Tu crois qu'il est mort ?

– Ah oui, il est même complètement mort. Allez, on s'en va.

La boîte à cookies sous le bras, Nathalie prit sa sœur par la main, prête à fuir. Mais, juste à ce moment-là, une main se posa sur son épaule, la stoppant net dans son élan. Elle entendit une voix grave :

– Vous avez tué mon chat.

Nathalie se retourna précipitamment et se retrouva nez à nez avec une vieille femme toute ridée. Elle portait des bottines lacées, une longue jupe noire en lambeaux et un corsage jaunâtre. Ses mains décharnées couvertes de verrues retenaient un châle noir à franges sur ses épaules voûtées. Son visage buriné comme du vieux cuir et ses yeux brun doré étincelaient de fureur.

Nathalie se figea, trop terrifiée pour oser ouvrir la bouche.

La femme ramassa tendrement le chat mort. En berçant doucement le cadavre, elle murmura dans son oreille déchirée :

– Mon pauvre Shadow, qu'est-ce qu'elle t'a fait, cette vilaine fille ?

– Je... je n'ai... ri... rien fait, moi, sanglota Carrie.

De grosses larmes inondaient ses joues potelées et elle reniflait pathétiquement.

– Le chat s'est précipité sur la route comme un fou, expliqua Nathalie.

Sa voix chevrotait malgré elle. Elle inspira profondément pour essayer de retrouver son calme. Si elle montrait qu'elle avait peur, elle aurait l'air coupable. Elle n'y était pour rien si ce chat s'était tué.

– C'est de votre faute ! hurla la vieille femme en pointant un doigt accusateur sur Nathalie.

Terrifiée, elle sursauta et voulut reculer d'un pas... mais impossible de bouger. C'était comme si elle était clouée au sol. Tremblant des pieds à la tête, elle fut obligée d'affronter le regard perçant de la vieille femme. Ses fines lèvres toutes craquelées grimacèrent un sourire. Nathalie remarqua qu'il lui manquait plusieurs dents et que les restantes étaient toutes cariées. Beurk ! Son haleine fétide lui retourna l'estomac.

– Venez avec moi, siffla la vieille femme. Nous avons des comptes à régler.

– On... on ne p-peut pas, bégaya Nathalie. On... on doit p-porter ces c-cookies...

– Mais ils sont tombés par terre. On ne donne pas des cookies pleins de poussière à l'association des parents d'élèves !

– Comment savez-vous...

– Silence ! Ta curiosité a causé assez de dégâts pour aujourd'hui !

Nathalie se tut. Peu importe comment la vieille femme avait deviné où elles allaient. Tout ce qui comptait, c'était de réussir à sortir de là saines et sauves. Tandis que la vieille femme se dirigeait vers la roulotte, Nathalie serra la main de sa sœur dans la sienne.

– Viens, Carrie, chuchota-t-elle. On y va. Cours !

Mais au lieu de les emmener loin de cette vieille folle, leurs pas les conduisirent vers la sinistre roulotte. Elles avaient perdu le contrôle de leurs pieds ! Impossible de les faire obéir !

Terrorisée, Nathalie ouvrit la bouche pour crier. Dans la foule de la kermesse, quelqu'un allait bien venir à leur secours. Mais aucun son ne sortit de ses lèvres !

« Je rêve, ça doit être, ça. Je fais un cauchemar. »

Mais non, Nathalie ne rêvait pas. Malgré elle, elle suivit la vieille femme. Elle marqua une pause lorsque celle-ci s'arrêta pour détacher le chat en bois de sa corde, puis marcha docilement derrière elle jusqu'à une porte, à l'arrière de la roulotte.

Carrie lui demanda timidement :

– Vous êtes Wanda ?

– Depuis le jour de ma naissance, il y a bien, bien longtemps.

Elle ouvrit la porte et invita les filles à entrer.

Carrie prit un cookie dans la boîte que portait sa sœur, le fourra dans sa bouche et pénétra dans la roulotte à contrecœur.

La gorge serrée d'angoisse, Nathalie avait du mal à respirer, mais elle ne put empêcher ses pieds de la conduire à l'intérieur. C'était un endroit lugubre où Wanda entassait son bric-à-brac.

Nathalie détailla rapidement la petite pièce. Il faisait sombre car la lampe à huile qui pendait du plafond était éteinte. Dans le fond, elle distingua des plaids et des châles entassés sur une couchette. Le long du mur, Wanda avait empilé des paniers et des cagettes pleines de pots, d'herbes médicinales, d'épis de maïs et de statuettes de bois. Et, dans un coin, il y avait un mannequin taille réelle avec de longs cheveux gris, qui portait les mêmes vêtements que la vieille femme. Comme le chat, il avait un collier en argent autour du cou, et ses yeux étaient fermés.

Wanda déposa délicatement le cadavre du chat dans un panier garni d'un coussin rouge et elle plaça la statuette de chat à côté. Puis, sans se soucier des éclats de verre qui crissaient sous ses pas, elle releva le volet de bois en le coinçant avec un bâton. Le soleil déclinant dispensa un peu de clarté à l'intérieur, mais malgré cela, la roulotte restait sinistre.

Nathalie fronça les sourcils. Son insatiable curiosité lui fit oublier un moment sa peur.

– Comment vous arrivez à faire tenir votre boule de cristal en l'air ?

Carrie éternua et entama un autre cookie. Sa sœur réalisa qu'elle était aussi allergique aux chats morts ! Mais soit elle n'osait pas se plaindre, soit Wanda l'empêchait de parler, comme elle les avait empêchées de s'enfuir.

– Je suis passée maître dans l'art des illusions, ma petite.

Wanda lui indiqua le panneau accroché près de la boule de cristal.

Nathalie tressaillit. L'écriteau et le globe laiteux étaient posés sur une étagère murale qui continuait jusqu'à la moitié de la fenêtre. Voilà pourquoi on avait l'impression qu'ils flottaient dans les airs. Cependant Nathalie se demandait à quoi lui servait la boule de cristal.

– Mais pourquoi…

– Ça suffit ! Ta curiosité te perdra… comme elle a tué mon pauvre Shadow !

Le visage ridé de Wanda s'assombrit et ses yeux étincelèrent de fureur. Elle tira un bout de papier jaune de sa poche et le tendit à Nathalie.

– Tiens, voilà ta facture. Tu me dois soixante-quatre dollars et quinze cents de marchandise cassée.

Nathalie pâlit. Elle n'avait que trente dollars dans sa tirelire et cinq dans sa poche. Pas question de les donner à cette vieille folle alors qu'elle n'y était pour rien !

– C'est votre chat qui a tout cassé, pas moi ! protesta-t-elle.

– Mon chat est mort, et c'est de ta faute ! En plus, ce n'est pas la première fois que ta curiosité cause du tort à quelqu'un ! Je vais te rafraîchir la mémoire…

Wanda caressa sa boule de cristal d'un air mystérieux.

Nathalie ne quittait pas le globe des yeux, incrédule et fascinée. A l'intérieur, un tourbillon de fumée se dissipa pour laisser place à des silhouettes floues. C'était comme un film en accéléré, mais Nathalie reconnut les scènes sans difficulté : les bougies qui dégoulinaient sur le gâteau d'anniversaire de son père ; la tortue qui croquait le mètre de couture de Mme Logan ; le cri d'horreur de Jane découvrant ses cheveux bleus...

Le défilé d'images ralentit sur le soufflé qui se dégonflait et s'arrêta au moment où Nathalie soulevait le chat en bois.

– Voilà, tu es prise sur le fait ! Si tu n'avais pas touché à cette statuette, rien ne serait arrivé. Tout est de ta faute !

Wanda pointa un doigt accusateur vers Nathalie. Effrayée, elle recula en bafouillant :

– Mais... mais non... je...

– Tu t'en es toujours bien tirée jusqu'à présent, mais cette fois-ci, tu vas devoir payer pour le mal que tu as fait.

Nathalie s'aperçut qu'elle pouvait à nouveau contrôler ses mouvements. Elle prit sa sœur par la main et continua à reculer vers la porte.

– Je suis désolée que votre chat soit mort, mais ce n'est pas de ma faute et je ne vais pas payer quoi que ce soit.

– C'est ce qu'on verra, déclara Wanda avec un

sourire étrange. Il ne faut pas réveiller un chat qui dort, tu aurais dû le savoir !

Et, sous le regard effaré de Nathalie, le cadavre du chat se flétrit, se ratatina, se consuma jusqu'à n'être plus qu'un tas de cendres grises.

– Les chats ont neuf vies… et toi, Nathalie ? susurra la vieille femme. Tu paieras ta dette, je te le promets.

CHAPITRE 4

Entraînant sa petite sœur, Nathalie se rua hors de la roulotte comme si elle avait le diable à ses trousses. Elle ne s'arrêta de courir que lorsque Carrie l'y força parce qu'elle n'en pouvait plus.

– Elle nous suit ? haleta-t-elle.

– Non, je ne crois pas.

Nathalie s'adossa à un arbre pour reprendre son souffle et retrouver son calme.

Maintenant qu'elle était hors de danger, elle se dit que ce qui s'était passé dans la roulotte de Wanda n'était pas si extraordinaire, après tout. Sur le coup, elle s'était laissé impressionner, mais elle était sûre qu'il y avait une explication rationnelle à tout ça. Elle était persuadée que Wanda avait un truc pour créer toutes ces illusions. Ce n'étaient sûrement que de vulgaires tours de passe-passe.

– J'ai peur, Nat, murmura Carrie. Et si elle nous retrouve ?

– Impossible. Elle ne sait pas où on habite. Donc, tant qu'on ne s'approche pas de sa roulotte, elle ne peut rien nous faire. Ne t'inquiète pas.

Carrie soupira, puis fit la grimace :

– J'ai mal au ventre.

– Pas étonnant : tu as mangé tous les cookies ! Pff ! Il ne reste que des miettes dans la boîte. Maman va me tuer quand l'association des parents d'élèves lui dira que je ne leur ai rien apporté !

– J'ai une idée gé-ni-ale : on n'a qu'à acheter d'autres gâteaux.

– Mm… on n'a pas le choix. Il faut bien réparer tes bêtises, mademoiselle le Génie. Allez, viens.

Nathalie prit la direction du supermarché le plus proche. Elles traversèrent la rue en courant, juste au moment où le feu passait au vert.

– Tu vas quand même me payer une glace et un tour de poney ? s'inquiéta Carrie.

– Non, c'est déjà mon argent qui va servir pour remplacer les cookies !

– Eh ! Ce n'est pas moi qui les ai fait tomber par terre !

– Non, mais tu as mangé tous ceux qui n'ont pas fini dans la poussière !

Carrie poussa un soupir exagéré.

– Alors je vais devoir raconter à maman que tu as saccagé son soufflé et cassé les trucs de la dame…

– Bon, ça va, ça va. Tu l'auras ton cône au chocolat !

Nathalie détestait céder au chantage de sa sœur, mais c'était mieux que d'être privée de sortie.

En entrant dans le magasin, Nathalie aperçut une de ses amies qui prenait un chariot.

– Salut, Susie ! Qu'est-ce que tu fais là ?

– Je fais quelques courses pour ma mère.

Susie était dans le même collège que Nathalie et Jane. Toutes les trois, elles étaient pratiquement inséparables.

Susie déplia le siège pour enfant et y coinça son sac à dos, puis elle remarqua :

– Elle est jolie ta boîte. Elle est ancienne ?

– Mm… elle est surtout immense et je dois acheter assez de cookies pour la remplir !

Les filles rencontrèrent Jane au rayon des produits de beauté.

– Qu'est-ce que tu cherches, Jane ?

– A ton avis, Nat ? De la teinture pour mes cheveux, tu te rappelles ?

– Oh ! Tu veux changer de couleur ? s'étonna Carrie. Mais pourquoi ?

– Parce que ta sœur a joué au petit chimiste avec moi !

Jane souleva légèrement sa casquette pour lui montrer une mèche.

– Mais tu as les cheveux bleus !

– Pas pour longtemps, j'espère.

Mal à l'aise, Nathalie intervint pour changer de sujet :

– Quelqu'un sait où sont les cookies dans ce magasin ?

– Oui, suis-moi, dit Susie, j'ai des gâteaux à acheter, moi aussi. Au fait, à quelle heure vos parents vous déposeront chez moi, demain soir, toi et Carrie ?

– Dès que mon père rentrera du bureau. Vers sept heures et demie.

– Ah bon ? s'étonna Jane. Vous vous voyez demain… sans moi !

– Mes parents partent en week-end avec ceux de Susie, expliqua Nathalie. Du coup, Carrie et moi, on va dormir chez elle.

– Et moi, je ne suis pas invitée, Susie ? demanda Jane.

– Si, bien sûr… euh, non. Attends, il faut que je demande à mes parents. Enfin, je crois qu'il n'y a pas de problème. Moi, j'ai envie que tu viennes, mais…

Jane et Nathalie échangèrent un regard complice et soupirèrent en chœur. Leur amie hésitait toujours une heure avant de prendre une décision, c'était insupportable !

– Bon, alors je viens à sept heures et demie, décréta Jane.

– Super ! enfin, euh…

Susie ne savait pas comment réagir. Mais de toute façon, Jane était déjà partie payer sa teinture à la caisse.

Susie continua à parcourir les allées avec son chariot : elle prenait des spaghettis puis les reposait pour attraper un paquet de coquillettes et ainsi de suite… Comme elle passait trop de temps devant chaque rayon à hésiter entre deux marques de céréales ou deux parfums de yaourts,

Nathalie l'aida à choisir. Sinon, elle n'arriverait jamais à finir ses courses !

Enfin, elles atteignirent le rayon des gâteaux. Carrie tira une boîte de l'étalage au hasard.

– Allez hop ! On prend ceux-là et on y va, Nat.

– Non, il n'y en a pas assez dans le paquet, répliqua sa sœur. Et, en plus, ils sont trop chers. Après je n'aurai plus de quoi te payer ton tour de poney.

Vexée, Carrie reposa les biscuits et continua à fouiner dans les rayonnages. Nathalie choisit un grand sachet de sablés en promotion.

– A votre avis, il en faut combien pour remplir la boîte ? Pff ! Je vais essayer, tiens.

Elle posa la boîte dans le chariot et vida le sachet de biscuits dedans. Comme ça ne suffisait pas, elle tendit le papier vide à Susie qui le fourra dans son sac à dos, et reprit un autre paquet. Elle s'apprêtait à recommencer l'opération quand un cri aigu la figea : sa sœur avait des ennuis, vraisemblablement ! En effet, au bout de l'allée, Carrie essayait désespérément de retenir une pyramide de conserves qui s'écroulait. Passant le sachet de biscuits à Susie, Nathalie se précipita à son secours.

Carrie soupira en haussant les épaules :

– Désolée, Nat. Je n'ai pas fait exprès. Elles sont tombées toutes seules. Bon, il faut que j'aille choisir mon cône au chocolat, moi…

Et elle abandonna sa sœur au milieu du bazar pour aller chercher sa glace. Nathalie renonça à la disputer : mieux valait réparer les dégâts avant qu'un employé du magasin s'en mêle.

– On se retrouve à la caisse, Carrie.

Tandis que Nathalie ramassait les conserves, Susie vida le deuxième sachet de sablés dans la boîte en métal et fourra le papier dans son sac. Mais au moment où elle allait prendre un troisième paquet, un inspecteur de la sécurité arriva par-derrière en aboyant :

– Je peux vous aider, mademoiselle ?

Surprise, Susie sursauta et renversa deux pots de confiture qui s'écrasèrent sur le sol. Elle essaya précipitamment de remettre le paquet de gâteaux dans le rayon mais, comme il s'était ouvert, les biscuits se répandirent par terre.

– Vous savez que le vol à l'étalage est un délit, bien sûr.

– Mais… mais je n'ai rien fait de mal, je vous jure, se défendit Susie.

Le vigile tira victorieusement les sachets de biscuits vides du sac à dos de Susie.

– Ah bon ? Pourquoi cachez-vous ça dans votre sac, alors ?

– Non, je ne… je…

Le vigile coupa court à ses protestations en mettant les couvercles des pots cassés et les sachets de biscuits vides dans son chariot.

– Je vous laisse partir pour cette fois. Mais je vous préviens : si je vous reprends à voler, ça ira mal pour vous ! Maintenant, vous allez passer à la caisse, s'il vous plaît.

Rouge de honte, Susie le suivit, tête baissée.

Nathalie avait enfin remis toutes les conserves en place. Elle courut après le surveillant pour lui expliquer ce qui s'était réellement passé. Mais en chemin, elle se souvint qu'il lui manquait un sachet de biscuits. Elle retourna le chercher puis se précipita vers les caisses.

Lorsqu'elle arriva, le vigile avait disparu et Susie avait déjà réglé ses achats. Humiliée et furieuse, elle se dépêchait de sortir du magasin avec son sac de courses, sans attendre ses amies. Nathalie aurait voulu lui courir après, mais elle devait d'abord payer son paquet de gâteaux.

C'est alors qu'elle remarqua sa petite sœur qui faisait la queue en léchant ses doigts pleins de chocolat. Elle la rejoignit et la poussa vers la porte.

– Carrie, rattrape Susie et dis-lui de m'attendre, ok ? Ah, au fait, donne-moi ton emballage de glace. Il ne manquerait plus que le vigile nous attrape !

Alors qu'elle scrutait les alentours à la recherche du surveillant, elle étouffa un cri d'horreur.

Il n'y avait pas de vigile dans les parages… mais Wanda l'attendait à la porte du magasin !

Quand la vieille femme croisa son regard, elle tira de sa poche un papier jaune. Nathalie détourna les yeux. Wanda avait dû la voir entrer dans le supermarché et elle la guettait pour lui remettre sa facture. « Elle peut toujours courir !

Je ne la prendrai pas, sa note. Je ne lui dois rien, moi ! »

Nathalie tapait du pied nerveusement en attendant sa monnaie. Comment allait-elle faire pour sortir de là en évitant Wanda ? Elle fourra les biscuits et l'emballage de glace dans un sac et risqua un œil vers la porte.

Ça alors ! Wanda avait disparu ! Nathalie était intriguée, mais elle en profita pour quitter le magasin sans demander son reste. Lorsque les portes automatiques s'ouvrirent, un papier s'envola et vint se plaquer contre sa poitrine.

Pensant que c'était un prospectus quelconque, Nathalie le prit pour le jeter... mais elle se figea en apercevant des lettres noires sur fond jaune : Les Trésors de Wanda.

Sous l'en-tête, Wanda avait dressé une liste : treize pots d'herbes médicinales, quatre paniers en osier... et ainsi de suite.

Nathalie froissa le papier rageusement et le mit à la poubelle. Puis elle courut rejoindre Susie.

« C'est juste une coïncidence, se répétait-elle. C'est le vent qui a poussé ce bout de papier vers moi. » Il n'y avait pas d'autre explication possible, à moins que Wanda ait des pouvoirs magiques. Nathalie chassa aussitôt cette idée de son esprit. C'était impossible... et surtout ça lui faisait bien trop peur.

– Où étais-tu passée, Nathalie ? cria Susie. Le vigile a cru que je voulais voler tes maudits biscuits !

– Excuse-moi. J'avais l'intention de tout lui expliquer, mais je ne l'ai pas trouvé. Je suis vraiment désolée, Susie.

Nathalie lui remboursa deux paquets de gâteaux. Après tout, ce n'était pas elle qui avait renversé le troisième et cassé les pots de confiture.

– Donc, ce n'est pas à moi de les payer, expliqua-t-elle à son amie.

Susie contempla les pièces que Nathalie lui avait données d'un air hébété.

– Mais… ma mère va voir qu'il manque de la monnaie !

– Tu trouveras bien une excuse, va, répliqua Nathalie distraitement.

En fait, elle était bien plus préoccupée par la vieille femme qui la poursuivait que par les problèmes financiers de Susie. Wanda rôdait peut-être encore dans les parages…

A ce moment-là, Jane rejoignit les trois filles et proposa d'aller faire un tour à la kermesse.

– Mais… et tes cheveux ? protestèrent ses amies en chœur.

– Je viens d'appeler chez moi pour vérifier que la voie était libre et j'ai bien fait, expliqua Jane. Ma mère est rentrée plus tôt que prévu pour se changer. Elle a rendez-vous avec mon père dans une heure pour aller dîner chez des amis. Du coup, je dois attendre qu'elle reparte pour retourner à la maison.

– D'accord, je veux bien aller me balader à

condition qu'on commence par le stand de l'association des parents d'élèves, annonça Nathalie.

– Moi, je ne peux pas, s'excusa Susie. Je dois rapporter les courses à ma mère.

Juste à ce moment-là, Jane remarqua le grand frère de Susie qui sortait d'un magasin de disques.

– Tu n'as qu'à les laisser à Doug, suggéra-t-elle.

– Il va hurler, mais ça lui apprendra... Non, attends. Impossible : il est avec Steve Kyle, soupira Susie. Doug va en profiter pour faire l'intéressant devant son copain et, moi, j'aurais l'air d'une idiote.

– Mais non, objecta Nathalie. C'est Doug qui passera pour un macho s'il refuse d'aider sa petite sœur, enfin ! Et il aura la honte devant le garçon le plus sympa du collège !

– De toute façon, Doug est un macho, mais il aime jouer les grands princes. Il n'osera pas te dire non. Vas-y, Susie ! l'encouragea Jane.

– Je ne sais pas...

Finalement, Susie se laissa convaincre. Elle revint au bout de quelques minutes, sans son sac de courses.

– J'ai dû lui promettre de laver la vaisselle tout le week-end.

– Bah, ne t'inquiète pas, Susie. On t'aidera, assura Nathalie.

– C'est pas vrai, quel fainéant ! s'indigna Jane. Il trouve toujours la bonne combine pour ne rien faire !

Jane était vraiment très directe. Peut-être même un peu trop. Elle ne blessait pas les gens volontairement, mais lorsqu'on lui demandait son avis, elle répondait franchement.

Les filles traversèrent la rue pour entrer dans la kermesse. Aussitôt, Nathalie fila sur le stand de l'association des parents d'élèves. Elle attendit que Mme Lawson ait fini de servir un client, puis posa la boîte à biscuits sur le comptoir. Son ancienne institutrice de CM2 la dévisagea par-dessus ses lunettes.

– Cela fait une heure qu'on t'attend, Nathalie, constata-t-elle sèchement.

– Euh… j'ai eu un imprévu. Excusez-moi.

En ouvrant la boîte en métal, Mme Lawson fronça les sourcils.

– Mais… ce ne sont pas des cookies au chocolat. Et en plus, ils ne sont pas faits maison, ça se voit. Si ta mère n'avait pas le temps d'en préparer, elle n'avait qu'à le dire !

Nathalie haussa les épaules d'un air innocent.

– Je ne sais pas… Bon, il faut que j'y aille.

– Attends, prends ton reçu.

Mme Lawson tamponna un papier blanc, y nota quelque chose et le tendit à Nathalie.

En s'éloignant du stand, elle le parcourut rapidement. Sous le logo de l'association, on lisait : *Famille Holland, don de 5$.* Mais soudain l'encre bleue se mit à baver. Puis les lettres se brouillèrent jusqu'à disparaître complètement, tandis que le papier blanc devenait jaune. Nathalie cligna des paupières et regarda à nouveau. Ce n'était pas possible! Elle n'en croyait pas ses yeux.

Médusée, elle vit apparaître des lignes noires sur fond jaune. Un cri d'horreur se figea au fond de sa gorge lorsqu'elle lut ces quatre mots redoutés : *Les Trésors de Wanda*.

CHAPITRE 5

Nathalie lâcha le papier en réalisant que le reçu de l'association s'était changé en facture des Trésors de Wanda. Sous ses yeux ébahis, il virevolta et redevint blanc avant d'atterrir sur le sol.

« Non, ce n'est pas possible. C'est un cauchemar, se dit Nathalie. Mon imagination doit me jouer des tours… ou alors Wanda a vraiment des pouvoirs magiques. »

Désemparée, Nathalie rejoignit ses amies et les suivit comme une automate dans la kermesse. Carrie, qui avait enfin fait son tour de poney, cessa de l'empoisonner. Quant à Jane et à Susie, elles étaient tellement absorbées par ce qu'elles découvraient sur les stands qu'elles ne remarquèrent pas l'air absent de Nathalie. En fait, c'était aussi bien, car elle n'avait aucune envie de leur expliquer ce qui lui arrivait. Si elle leur disait la vérité, ses amies penseraient qu'elle se moquait d'elles. Elle avait déjà du mal à y croire elle-même, alors…

Le soleil était en train de se coucher derrière les collines lorsque les filles arrivèrent dans la dernière allée de la kermesse. Au moment où elles passaient devant la roulotte de Wanda, Nathalie prit la main de sa sœur et accéléra le pas. Tout avait été nettoyé et l'endroit semblait désert, mais elle ne voulait pas risquer de se retrouver nez à nez avec la vieille femme.

Même si Jane et Susie insistaient pour qu'elles restent encore un peu, Carrie ne protesta pas quand sa sœur décida qu'il était temps de rentrer. Elles s'éloignèrent des lumières et des bruits rassurants de la kermesse, tremblant à l'idée des multiples dangers qui les guettaient dans la nuit noire.

Alors qu'elles traversaient la banlieue déserte à toute vitesse, Nathalie se surprit à sursauter au moindre bruit ou mouvement. Un oiseau qui s'envolait d'un arbre la fit tressaillir. Remarquant un bruissement de feuilles dans une haie, elle serra plus fort la main de sa petite sœur. Un feu clignotant au détour d'une rue la fit bondir avec un cri étouffé.

– Je… j'ai p-peur, Nat, souffla Carrie.

Sa voix terrifiée rappela à Nathalie qu'en tant que grande sœur, elle devait la rassurer. A treize ans, on n'a plus peur du noir, quand même ! Elle se sentit soudain ridicule de trembler à cause d'une vieille folle qui prenait plaisir à effrayer les enfants.

– Tu n'as rien à craindre, Carrie, lui assura-t-elle calmement. On passe dans cette rue tous les jours, et ce n'est pas parce qu'il fait nuit que c'est plus dangereux.

– Oui, mais d'habitude, on n'a pas une sorcière qui nous court après !

– D'accord, Wanda est un peu bizarre. Mais tu sais bien que les sorcières, ça n'existe pas !

– Si. Wanda est une sorcière, sinon comment elle ferait tous ces trucs magiques, hein ?

– C'est une bonne prestidigitatrice, Carrie. Ce sont des tours de passe-passe, pas de la sorcellerie.

– Mais comment m'a-t-elle fait entrer dans sa roulotte, alors que je n'en avais pas envie ? Comment a-t-elle pu me forcer si ce n'est pas une sorcière ?

Carrie lança un regard de défi à sa sœur.

– Je ne sais pas.

– Et comment a-t-elle fait apparaître ce qui t'était arrivé dans sa boule de cristal, hein ?

« Bonne question », reconnut Nathalie pour elle-même. Elle n'avait pas d'explication à cela non plus.

– Elle a même un chat noir… euh, pardon, elle avait un chat noir, se reprit Carrie.

– Il y a beaucoup de gens qui ont des chats noirs, ça ne veut pas dire que ce sont des sorciers !

– Oui, mais ces chats ne se réduisent pas instantanément en cendres quand ils meurent !

Nathalie frissonna. Wanda n'était pas normale, Carrie avait raison.

Et encore, elle n'était pas au courant pour le papier qui l'avait poursuivie et s'était transformé sous ses yeux.

Nathalie jeta un regard par-dessus son épaule. Rien ne bougeait ni dans la lumière des lampadaires ni dans la nuit. Tout semblait calme et pourtant elle avait la chair de poule. Elle avait l'impression qu'une chose affreuse allait arriver.

– Wanda nous en veut parce que tu as tué son chat, Nat !

– Il a foncé dans une voiture, répliqua Nathalie. Je suis vraiment désolée qu'il soit mort et je le ressusciterais, si je pouvais. Mais je ne peux pas. Voilà, le sujet est clos, ok ?

Nathalie accéléra le pas car elles approchaient de chez elles. Elle n'avait pas besoin que sa sœur lui rappelle ce qui s'était passé. Ce n'était que remuer le couteau dans la plaie.

– D'ac ! cria Carrie en montant les marches du perron quatre à quatre.

Mais, lorsqu'elle arriva en haut, l'ampoule du porche lança un éclair et pof ! elle s'éteignit.

Les filles se figèrent.

Un miaulement perçant déchira le silence de la nuit.

Terrorisée, Carrie se mit à pousser de petits cris hystériques.

Nathalie savait qu'il y avait plein de chats dans les parages et qu'il arrivait souvent que les lampes claquent, mais cela faisait beaucoup trop de coïncidences !

Elle se précipita en haut du perron et écarta sa sœur pour enfoncer sa clé dans la serrure. Mais, au passage, elle trébucha sur quelque chose.

Il y avait un paquet sur le paillasson.

Nathalie prit une profonde inspiration. « Calme-toi, Nathalie. » Il ne fallait pas qu'elle se laisse emporter par la peur.

– Tu peux arrêter de hurler, Carrie, s'il te plaît ? Tu es toute rouge, tu vas exploser !

Carrie se tut et fut prise de hoquets nerveux.

– C-c'est q-quoi, ce-ce truc ?

– Je ne sais pas. Le facteur a dû le déposer à sa dernière tournée.

Nathalie ouvrit la porte et éclaira l'entrée. Tandis qu'elle ramassait le paquet, Carrie se pencha par-dessus son épaule pour jeter un œil inquiet à l'intérieur, puis elle suivit sa sœur dans le salon.

Elle alluma la télé ainsi que toutes les lampes avant de se laisser tomber sur le canapé. Elle éternua trois fois de suite et demanda en reniflant :

– Snif ! C'est pour qui ?

– Pour moi.

Assise sur le parquet, Nathalie arracha le scotch du carton, impatiente de découvrir ce qu'il y avait à l'intérieur.

– Ça vient d'où ? la questionna encore Carrie.

Nathalie hésita : l'adresse de l'expéditeur n'était pas indiquée, et il n'y avait pas de timbres non plus. « Ce doit être une surprise que maman m'a commandée dans un catalogue, pensa-t-elle en ouvrant le paquet. C'est un coursier qui l'a livré. »

Elle écarta une couche de papier journal froissé et découvrit… le chat en bois de Wanda !

Il y avait un papier jaune scotché dessus.

– Nooon ! hurla Nathalie en l'arrachant de la statuette.

Elle le froissa rageusement. Pas question de se laisser impressionner par cette vieille folle !

– Qu'est-ce qu'il se… atchoum… passe, Nathalie ?

Carrie s'était roulée en boule sur le canapé avec un plaid sur les épaules.

– Elle nous a envoyé le chat en bois. Ça veut dire qu'elle sait où on habite !

– La sorciè… ratchoum ?

Affolée, Nathalie courut dans l'entrée. Trop d'événements bizarres et inexplicables s'étaient accumulés en une seule journée. Elle se demandait si Wanda était une sorcière dotée de pouvoirs incroyables ou juste une vieille bonne femme déterminée à leur faire payer la mort de son chat. Mais quoi qu'il en soit, elle était toute seule dans la maison avec Carrie, à la merci de n'importe qui.

Nathalie ouvrit la porte et jeta la boulette de papier dans le jardin. Alors qu'elle essayait d'attraper la chaîne pour bloquer la porte, un courant d'air glacé la pétrifia. Il souleva un tourbillon de feuilles mortes et ramena le papier jaune vers elle.

Nathalie bondit à l'intérieur, claqua la porte et tourna le verrou. Elle resta un moment appuyée dos à la porte, paralysée par la peur, puis se laissa glisser sur le sol. Elle ferma les yeux et ramena ses genoux contre son front. Elle aurait voulu arrêter tout ça, retourner en arrière, jusqu'à la veille, avant que sa curiosité ne l'entraîne dans cet enfer.

Elle entendit un léger bruissement sur le parquet, juste à côté d'elle. Elle redoutait ce qu'elle allait voir, mais elle ne put s'empêcher d'ouvrir les yeux.

Un morceau de papier s'était glissé sous la porte. La feuille jaune se défroissa toute seule comme repassée par un fer invisible.

Nathalie regarda, impuissante, la facture de Wanda s'envoler pour se poser sur ses genoux.

CHAPITRE 6

Le souffle coupé, Nathalie bondit sur ses pieds. Elle recula précipitamment pour tenter d'échapper à la facture de Wanda, mais le papier s'éleva dans les airs et la suivit.

– Qu'est-ce qui se passe, Nat ? s'inquiéta Carrie. Il y a quelqu'un à la porte ?

– Non, personne.

La petite voix effrayée de sa sœur ramena Nathalie à la réalité. On pouvait sûrement trouver une explication logique à ces phénomènes étranges, Nathalie en était persuadée. Mais surtout, il ne fallait pas céder à la panique.

Elle attrapa rageusement le papier qui voletait autour d'elle et retourna dans le salon.

Carrie était toujours pelotonnée dans le plaid, sur le canapé.

– Je croyais que tu l'avais jeté, ce truc.

– Oui, mais le vent l'a ramené à l'intérieur.

L'orage couvait depuis la fin de l'après-midi, et il n'y avait rien d'anormal à ce que le vent se déchaîne. « Et puis la climatisation a dû faire flotter la feuille dans les airs », se dit Nathalie. En revanche, c'était plus dur d'expliquer comment elle avait pu se défroisser toute seule... Peut-être que c'était un papier de fabrication particulière. Nathalie parcourut la feuille du regard et fronça les sourcils : ce n'était pas une facture, comme elle le croyait.

Carrie jeta un regard terrifié par la fenêtre. Ses yeux s'élargirent.

– Wanda est dehors, c'est ça ? Elle nous guette, Nat ?

– Je ne crois pas. Écoute ce qu'elle m'écrit : Suis les instructions gravées sous le chat, et nous serons quittes. Tu as jusqu'au prochain coucher de soleil. Wanda.

Assise en tailleur sur le parquet, Nathalie se pencha sur le paquet pour examiner la statuette de plus près. Le collier en argent étincelait.

– Tout ça... snif ! c'est à cause... atchoum !... de ce maudit chat en bois. Snif ! renifla Carrie en s'essuyant le nez sur un coin du plaid.

– Alors c'est lui qui doit nous tirer de là, répliqua sa sœur.

Elle le sortit avec précaution du carton. Il était vraiment magnifique, mais il lui parut beaucoup plus lourd que tout à l'heure. Enfin, elle n'avait pas tellement eu le temps de se faire une idée puisque tout s'était enchaîné si vite dès qu'elle l'avait touché et que les clochettes s'étaient mises à sonner.

Le chat lui sembla aussi anormalement froid : on aurait dit du métal plutôt que du bois. Elle examina la statuette sous tous les angles et découvrit en dessous une comptine gravée en lettres gothiques.

Carrie éternua trois fois de suite. Nathalie attendit qu'elle ait fini pour lire les vers à haute voix :

Renversez-moi, tête en bas,
Puis tournez mon collier trois fois.
Quand le chat sort de sa tombe,
Toutes les dettes fondent.

Nathalie haussa les épaules. Elle s'apprêtait à faire pivoter le collier quand Carrie bondit du canapé en hurlant :

– Non ! C'est un piège, Nat. Si tu obéis à cette vieille sorcière, ça va déclencher quelque chose d'affreux. J'en suis sûre.

Nathalie posa la statuette sur la table.

– Wanda s'amuse juste à nous faire peur, Carrie. Elle est furieuse parce que son chat est mort et que son bric-à-brac est cassé. Elle cherche à nous effrayer pour que je la rembourse, c'est tout.

– Eh bien, c'est réussi, j'ai super la trouille, moi ! Tu n'as qu'à la payer pour qu'elle nous fiche la paix, Nat !

– Je n'ai pas assez d'argent, de toute façon.

– Tu pourrais demander à papa et à maman de t'en prêter. Comme ça, Wanda s'en ira et on sera tranquilles.

– Non, les parents me demanderaient pourquoi j'ai besoin de cet argent et je serais obligée de tout leur expliquer. En plus, je n'ai pas envie de payer alors que ce n'est pas de ma faute !

– Mais si, tu as touché ce chat… a… atchoum !… alors que c'était écrit en gros qu'il ne fallait pas !

Pour changer de sujet, Nathalie demanda innocemment :

– Ma parole, tu as attrapé froid ou quoi ?

– Bah… je ne sais pas. Je me sens toute drôle : ça me gratte de partout, j'ai le nez qui pique et je suis complètement é-pui-sée.

Carrie bâilla pour ponctuer sa phrase.

– Tu devrais aller au lit, alors.

Nathalie posa sa main sur le front de sa petite sœur, mais elle n'avait pas l'air fiévreuse.

– Je ne suis plus un bébé, Nat ! Il est à peine à neuf heures !

– Écoute, Carrie : les adultes ne vont pas se coucher « quand il est l'heure », mais quand ils sont fatigués, surtout s'ils ne se sentent pas bien !

Carrie se leva à contrecœur et commença à monter l'escalier en marmonnant dans sa barbe. Jetant un œil par-dessus son épaule, elle vit sa sœur remettre le chat dans sa boîte et la glisser sous son bras.

– Qu'est-ce que tu fabriques avec ce truc, Nat ?

– Je l'emporte dans ma chambre pour l'installer avec le reste de ma collection, tiens.

– Non, pas question, Nathalie Holland ! Et tu ne vas pas non plus obéir à cette comptine idiote !

Exaspérée, Nathalie rejoignit sa sœur dans les escaliers.

– Et pourquoi, mademoiselle J'ordonne ? Si ça peut calmer Wanda et qu'elle nous laisse tranquilles après, je ne vois pas où est le mal. Je ne risque rien à essayer.

– Ça, tu ne sais pas. C'est peut-être dangereux.

Carrie la suivit jusqu'à sa chambre. Éternuant, reniflant et larmoyant, elle resta bras croisés dans l'encadrement de la porte tandis que sa sœur posait le paquet sur son lit.

– Arrête, Carrie.

« Ah ! Il en faut de la patience avec les petites sœurs ! » pensa Nathalie en accompagnant Carrie dans sa chambre. Elle la borda dans son lit et demanda :

– Tu veux un cachet de Stoprhume ou une tisane ?

– Non, merci. Ça va mieux.

– D'accord. Bonne nuit, alors.

Au moment où Nathalie allait appuyer sur l'interrupteur, Carrie lui agrippa le poignet.

– Nat, tu me promets que tu ne vas rien faire avec ce chat en bois ?

– Ça suffit, Carrie. Tu es ridicule !

– Tu me le jures ou je raconte tout à maman !

Aïe ! Carrie lui enfonçait les ongles dans la peau. Comme sa sœur avait vraiment l'air terrorisée, Nathalie céda. De toute façon, elle avait encore vingt-quatre heures pour obéir aux instructions.

– Ok. Je n'y toucherai pas ce soir, promis. Ça te va ?

– C'est promis-juré-craché ?

– Oui, si je mens je vais en enfer. Allez, dors maintenant.

De retour dans sa chambre, Nathalie mit un CD et reprit la statuette, qui bizarrement était toujours glacée, pour la poser sur sa commode avec le reste de sa collection. Puis elle recula d'un pas pour l'admirer. La lumière jouait sur sa surface de bois poli et faisait ressortir les détails finement sculptés. Nathalie s'attendait presque à voir le chat remuer les oreilles et ouvrir les yeux. Le collier en argent étincelant l'attirait, elle avait envie de le toucher, de le faire tourner…

Que se passerait-il si elle retournait le chat et faisait pivoter le collier ? Probablement rien, mais comme Carrie le lui avait fait remarquer, elle ne pouvait pas en être sûre. Et pourtant, il fallait qu'elle sache. Le démon de la curiosité la torturait : elle voulait savoir ce qui arriverait.

Elle tendit le bras, hésita un instant, puis sa main retomba.

« Pas ce soir. J'ai promis. »

Elle dut se faire violence pour se détourner de la statuette et se mettre en pyjama. Elle se glissa sous sa couette et prit son roman policier sur la table de nuit. Puis finalement elle changea d'avis : elle était trop fatiguée pour lire. Dès qu'elle eut éteint la lampe et fermé les yeux, une foule de questions l'assaillirent. Comment Wanda avait-elle pu les forcer, Carrie et elle, à entrer dans la roulotte contre leur gré ? Comment avait-elle réussi à faire apparaître des images si réalistes dans sa boule de cristal ? Ou à changer le reçu des cookies en facture jaune ?

Pourquoi lui avait-elle envoyé la statuette ? Enfin, que se produirait-il si elle la retournait et tournait trois fois le collier ?

« Wanda effacera ma dette, voilà ce qui arrivera, se dit-elle. C'est tout. »

Elle s'endormit en pensant au pauvre Shadow. Quand le chat sort de sa tombe, toutes les dettes fondent...

Dans son sommeil, elle revit le cadavre du chat se changer en cendres. La poussière tourbillonna, s'éleva et fut aspirée par un petit trou dans le collier de la statuette. Le bois rougit, se gondola et fondit, laissant place à une ossature de félin. Le squelette leva la tête et la fixa avec ses orbites vides. Il ouvrit la bouche, montrant de longues canines aiguisées qui étincelaient dans l'obscurité. Un murmure ronronnant se fit entendre : retourne le chat, tourne le collier trois fois...

Nathalie se redressa dans un sursaut. La voix n'était pas juste dans son cauchemar. On aurait dit qu'il y avait vraiment quelqu'un qui lui parlait, là, dans sa chambre. Impossible. Elle jeta un coup d'œil affolé à la porte, puis à la fenêtre. Elles étaient toutes les deux parfaitement fermées.

Hisss...

Qu'est-ce que c'est que ce bruit ? Nathalie retint sa respiration. Elle n'osait plus faire le moindre mouvement.

Un léger crissement lui répondit.

Comme des griffes de chat contre du bois.

– Qui est là ?

Nathalie tourna la tête vers la porte, mais elle se figea en apercevant la statuette sur sa commode. Deux yeux étincelants la fixaient dans l'obscurité.

CHAPITRE 7

Soudain, le grondement sourd du tonnerre se fit entendre au loin. Nathalie glissa un œil vers la fenêtre ; la lueur grise de l'aube filtrait à travers les volets. L'orage n'avait pas éclaté, il couvait toujours, de plus en plus menaçant – et elle était de plus en plus angoissée.

Lentement, elle tourna la tête vers le chat en bois.

Ses yeux étaient maintenant fermés. La statuette avait repris son aspect normal.

Avec un soupir de soulagement, Nathalie se détendit. Elle se sentait ridicule d'avoir eu aussi peur. Visiblement, tout cela n'était qu'un cauchemar : la voix qui lui parlait, les bruits étranges, les yeux étincelants du chat. Elle s'était endormie en pensant à Shadow, en souhaitant revenir en arrière pour empêcher sa mort, car elle était vraiment désolée pour lui. Pas étonnant que son inconscient l'ait tourmentée avec des squelettes de chats vivants et des statuettes de bois qui s'animent.

Pourtant ce rêve avait l'air si réel…

Nathalie sortit de son lit et s'approcha de la

commode. Pour se rassurer, elle toucha la statuette du bout du doigt. Le bois était toujours froid, alors qu'il faisait bien vingt degrés dans la chambre.

« Rien d'extraordinaire, se dit Nathalie. Il y a un courant d'air glacé qui passe sous la fenêtre et qui arrive droit sur la commode. C'est tout. »

– Nathalie ! cria sa mère du rez-de-chaussée. Tu es levée ? Tu peux venir m'aider, s'il te plaît ?

– J'arrive, maman.

Elle fourra le chat en bois dans son sac à dos et cacha le carton avec la feuille jaune sous son lit. La statuette valait sûrement assez cher et elle n'avait pas envie d'expliquer à sa mère d'où elle provenait. Pas pour le moment, en tout cas. Quand la kermesse serait finie et que Wanda serait loin, elle pourrait dire qu'elle l'avait eue pour trois fois rien. A part la vieille femme, Carrie était la seule à connaître toute l'histoire, et Nathalie savait comment acheter son silence. Avec elle, la corruption marchait toujours.

Après une douche rapide, Nathalie enfila un jean et un T-shirt rose, puis elle descendit à la cuisine. Une délicieuse odeur de gâteau sortant du four avait envahi tout le rez-de-chaussée.

– Pourquoi as-tu préparé d'autres cookies, maman ? demanda Nathalie.

Elle craignait que Mme Lawson ait appelé sa mère pour se plaindre de n'avoir reçu que de malheureux biscuits tout secs.

– Je devais en donner une centaine, et hier je

n'ai eu le temps d'en faire que cinquante. Au fait, où est la boîte de mamie ?

– Nathalie l'a laissée sur le stand de l'association des parents d'élèves, s'empressa de rapporter Carrie.

Assise à la table de la cuisine, elle regardait les cookies refroidir, l'eau à la bouche.

Mme Holland soupira en sortant une nouvelle fournée de biscuits.

– Tu n'as pas de tête, Nathalie. Cette boîte est un souvenir de famille. J'y tiens beaucoup.

– Désolée, murmura Nathalie en rentrant la tête dans les épaules.

Sa mère lui tendit une spatule.

– Bon, rends-toi utile. Décolle les cookies de la plaque, s'il te plaît. Je voudrais que tu les apportes à la kermesse et que tu reprennes ma boîte par la même occasion. Moi, je dois finir mon budget pour le jardin municipal et faire les bagages avant que ton père rentre.

Nathalie n'avait vraiment pas envie de retourner là-bas tant que Wanda y était, mais elle ne trouva aucune excuse valable pour ne pas y aller. Elle n'aurait qu'à faire le tour pour éviter l'allée où était garée la vieille roulotte.

Mme Holland fila dans son bureau et Nathalie monta chercher son sac à dos. Quand elle revint dans la cuisine, elle surprit sa sœur la main dans la boîte de cookies.

– Non, Carrie ! C'est pour la kermesse !

– Mais j'ai faim ! A-a-atchoum !

Carrie éternua sur les trois cookies qu'elle venait de prendre.

– Berk ! Tu me dégoûtes. Tu peux les manger maintenant

Nathalie posa son sac sur la table pour y ranger la boîte de gâteaux. Carrie n'arrêtait pas d'éternuer et de renifler. Ses yeux commencèrent à rougir.

Alarmée par ses éternuements répétés, Mme Holland passa la tête par l'entrebâillement de la porte.

– Qu'est-ce qui se passe, Carrie ?

Carrie cacha vite les cookies dans son dos et répondit d'un air innocent :

– Rien, rien, maman.

– On dirait que tu fais une réaction allergique, mais c'est impossible – à moins que tu sois devenue sensible à autre chose qu'aux chats.

Comme sa fille éternuait à nouveau, Mme Holland fronça les sourcils et ajouta :

– Hum… tu as dû prendre froid. Je ferais mieux d'annuler notre week-end, si tu es malade…

– Mais je ne suis pas malade, la coupa Carrie. C'est juste la farine qui me pique le nez.

Nathalie mit son sac sur son dos et se dirigea vers la porte. Avant de partir, elle essaya de rassurer sa mère :

– Elle va bien, maman. Ne t'en fais pas.

Sa sœur et elle n'auraient manqué leur week-end chez Susie pour rien au monde. Les Sanders avaient plein de trucs à grignoter, une télé avec écran géant, de super jeux vidéo et les derniers films en cassette.

– Je ne suis pas malade, maman. Je t'assure, insista Carrie.

Elle avait arrêté d'éternuer et de renifler aussi soudainement qu'elle avait commencé.

Une drôle d'idée traversa l'esprit de Nathalie : et si Carrie était allergique au chat en bois ? Elle réagissait comme s'il y avait un véritable chat dans la pièce dès que le sac se trouvait près d'elle. C'était bizarre…

Mme Holland s'approcha de sa fille pour lui tâter le front.

– Tu n'as pas de fièvre. On verra comment tu te sens tout à l'heure. On peut toujours annuler notre départ à la dernière minute.

– Bon, j'y vais, maman, annonça Nathalie.

– Dépêche-toi de rentrer avant qu'il se mette à pleuvoir.

– Oui, je vais essayer.

Elle sortit de chez elle et traversa le jardin. Dès qu'elle se retrouva à l'abri des regards, derrière une haie, Nathalie ôta le sac à dos de ses épaules.

Scratch, scratch…

Nathalie lâcha le sac et fit un bond en arrière.

Scratch, scratch…

L'étrange idée qui lui était venue dans la cuisine se confirmait.

La veille, Carrie n'avait pas présenté de symptômes d'allergie avant que Nathalie sorte la statuette du paquet, dans le salon. Puis, quand Nathalie avait déposé le chat sur son lit avant d'aller dans la chambre de sa sœur, ses éternuements avaient cessé. Elle n'avait pas eu de problèmes jusqu'à ce que Nathalie pose le sac à dos à côté d'elle – avec le chat à l'intérieur ! Et l'allergie avait disparu dès qu'elle avait repris son sac.

Carrie supportait le bois et l'argent puisque leur maison regorgeait de meubles et d'argenterie. Mais elle était vraiment allergique à la statuette. En fait, elle réagissait au chat en bois comme s'il s'agissait d'un animal en chair et en os !

Tremblant comme une feuille, Nathalie ne quittait pas son sac des yeux. Elle s'attendait presque à voir des griffes lacérer le tissu et faire apparaître un chat squelettique avec des yeux et des canines étincelants.

Au loin, le tonnerre gronda, comme un roulement de tambour étouffé...

... mais le sac à dos ne bougea pas.

Nathalie n'avait qu'une envie : s'enfuir à toutes jambes. Pourtant elle s'agenouilla pour ouvrir la fermeture Éclair.

Ses épaules se relâchèrent de soulagement. Ouf ! Le chat en bois n'était bien qu'une statuette.

Quand il avait ouvert les yeux au milieu de la nuit, ce n'était qu'un rêve – ou plus exactement un cauchemar.

Accroupie par terre, Nathalie essaya de se souvenir précisément ce qu'elle avait vu dans son sommeil. Le cadavre du chat s'était consumé, et ses cendres avaient été aspirées à l'intérieur de la statuette. Le chat en bois s'était transformé en squelette... animé.

Elle examina le collier en argent... et y découvrit un minuscule trou ! Il était si petit qu'elle ne l'avait pas remarqué jusque-là. Dans la roulotte, elle avait, de ses propres yeux, vu Shadow se changer en poussière. Est-ce que ses cendres se trouvaient à l'intérieur de la statuette ? Est-ce que son rêve était en fait une vision, un aperçu de l'affreuse vérité ?

Quand le chat sort de sa tombe...

Le sens de la comptine était clair, pourtant, selon toute logique, c'était impossible !

« Les tombes, c'est pour les morts, se dit Nathalie. Et je ne vois pas comment un chat mort pourrait sortir de sa tombe... sauf s'il est ressuscité. »

Mais alors... la comptine devait expliquer comment ramener Shadow à la vie... Non, impossible. A moins que...

CHAPITRE 8

Nathalie envisagea de cacher le sac à dos dans les buissons pendant qu'elle porterait les cookies à la kermesse, mais finalement elle changea d'avis. Le seul moyen de régler son affaire avec Wanda sans l'intervention de ses parents, c'était de suivre les instructions gravées sous la statuette : de renverser le chat tête en bas et de tourner le collier trois fois.

Comme une goutte de pluie venait de s'écraser sur sa joue, Nathalie leva la tête vers les gros nuages noirs. L'orage n'allait pas tarder à éclater, mais elle se moquait bien d'être trempée. Ce n'était rien par rapport aux expériences effrayantes qu'elle avait vécues depuis qu'elle avait rencontré Wanda.

Nathalie se dirigea rapidement vers le centre-ville. A chaque pas, elle sentait le sac battre contre son dos. Elle frissonna en se rappelant les griffes acérées qui étincelaient dans la nuit. Et si jamais il voulait sortir ? Est-ce qu'il s'en prendrait à elle ?

Elle s'arrêta à un coin de rue pour jeter un coup d'œil à l'intérieur du sac. La statuette n'avait pas bougé. Elle se sentit ridicule d'avoir imaginé une seconde qu'elle pouvait s'animer.

Pourtant, elle continuait à se demander si cette comptine bizarre pouvait ressusciter Shadow. Cela semblait complètement grotesque… cependant Wanda avait réussi beaucoup de choses incroyables.

Nathalie essayait de se convaincre qu'il y avait tout de même une explication logique à tous ces phénomènes. Wanda s'était elle-même présentée comme « un maître dans l'art des illusions ». C'est comme ça qu'elle fait croire que sa boule de cristal flotte dans les… mais ce genre d'astuce, ça ne suffit pas pour y faire apparaître des images aussi nettes qu'un film ! réalisa Nathalie, troublée.

Elle était bien éveillée quand le cadavre du chat s'était consumé sous ses yeux et que le reçu s'était changé en facture des Trésors de Wanda. Soit Wanda avait des pouvoirs magiques, soit elle lui faisait avoir des hallucinations.

Mais comment ?

Nathalie s'arrêta brusquement et se frappa le front. C'était tellement évident ! Wanda les avait hypnotisées ! Cela expliquait tout, y compris comment elle les avait obligées à faire des choses contre leur gré. Wanda avait même dû remarquer que Carrie était allergique aux chats et l'avait hypnotisée pour qu'elle réagisse également au chat en bois.

Le soulagement de Nathalie fut de courte

durée, car elle réalisa que les suggestions hypnotiques de la vieille femme faisaient toujours effet. Nathalie entendait et voyait des choses étranges parce que Wanda les avait glissées dans son esprit quand elle était dans la roulotte. Quelles autres visions terrifiantes allaient jaillir de son cerveau manipulé ?

Arrivée à la kermesse, Nathalie zigzagua entre les stands pour foncer droit sur la roulotte de Wanda. Il n'était plus question de l'éviter. Nathalie devait l'affronter car tant qu'elle était sous hypnose, elle ne pouvait faire confiance ni à ses yeux ni à ses oreilles. Elle espérait juste que la vieille femme accepterait de discuter…

Nathalie se figea net dans son élan en arrivant là où se trouvaient la veille Les Trésors de Wanda.

La roulotte avait disparu.

Elle parcourut l'emplacement vide de long en large, mais il ne restait que des traces de pneus dans la poussière. Pourquoi la vieille femme était-elle partie ? La kermesse venait de commencer et elle attirait une foule de gens. Wanda aurait pu gagner beaucoup d'argent. C'était idiot de s'en aller maintenant.

Complètement abasourdie par cette découverte, Nathalie se dirigea mécaniquement vers le stand de l'association des parents d'élèves. Si Wanda ne la sortait pas de l'hypnose, Nathalie était-elle condamnée à vivre sans fin des cauchemars plus effrayants les uns que les autres ?

Comment pourrait-elle distinguer ce qui était réel de ce qui n'était qu'une suggestion hypnotique ? C'était affreux !

Au moins, Mme Lawson ne tenait pas le stand ce jour-là. Une jeune femme que Nathalie ne connaissait pas sourit d'un air gourmand quand elle lui donna les cookies au chocolat tout frais.

– Je voudrais reprendre la boîte à gâteaux de ma grand-mère. Je l'ai oubliée hier, expliqua Nathalie.

La jeune femme lui tendit la boîte ancienne.

– C'est celle-ci ?

– Oui, merci.

Nathalie était soulagée qu'ils ne l'aient pas perdue. Elle allait partir lorsque la jeune femme la rappela :

– Eh ! N'oublie pas ton reçu.

Nathalie hésita, fixant la feuille blanche d'un air méfiant.

– C'est bon, je n'en ai pas besoin.

– Mais je dois te le donner, sinon Mme Lawson va en faire toute une histoire…

Ah, oui, elle connaissait assez l'ancienne institutrice pour savoir comme elle était pointilleuse ! Nathalie sourit et prit le reçu. C'était le même que la veille, sauf que l'écriture était différente. Nathalie le fourra dans son jean en s'éloignant. Mais au bout de quelques mètres, elle le ressortit de sa poche pour l'examiner à nouveau. Il était toujours blanc, rédigé à l'encre bleue.

Nathalie reprit espoir. Peut-être que l'hypnose

ne fonctionnait plus une fois qu'on savait qu'on avait été hypnotisé ? Ou alors les pouvoirs de Wanda avaient perdu de leur force maintenant qu'elle était partie ?

Sur le chemin de retour, Nathalie guetta l'apparition d'un phénomène étrange. Elle vérifia le reçu à deux reprises, mais il n'avait pas changé. Dans son sac, le chat en bois se tenait tranquille. Quand elle arriva chez elle, elle était sûre de ne plus être hypnotisée. Elle trouva sa mère avec Carrie au premier étage, en train de préparer ses bagages.

– Tu as pensé à la boîte de mamie ? lui demanda-t-elle.

– Oui, elle est sur la table de la cuisine.

Nathalie posa son sac à dos par terre et tira le reçu de sa poche.

– Tiens, maman, voilà le re…

Elle se figea. Ce n'était plus le papier blanc de l'association des parents d'élèves mais un message de Wanda griffonné sur une feuille jaune.

Plus que huit heures avant le coucher du soleil.

W.

Lorsque Mme Holland prit le papier des mains de sa fille, il redevint instantanément blanc.

Nathalie pesta intérieurement. Elle était toujours sous hypnose ! Wanda essayait de la convaincre d'obéir à ses instructions. Nathalie consulta sa montre et avala sa salive. En effet, il ne lui restait plus que huit heures avant la tombée de la nuit. Comment Wanda pouvait-elle savoir l'heure précise à laquelle elle lirait le message ?

Comme Carrie recommençait à éternuer, Mme Holland fronça les sourcils.

– C'est drôle… tu n'avais pas éternué depuis le départ de Nathalie !

– Ça vient juste de me reprendre, mais sinon je me sens bien, maman.

Nathalie dévisagea sa sœur. Elle était allergique à la statuette qui était dans le sac à dos, c'était sûr. Mais comment était-ce possible ?

– Hum… étrange… Bon, vous feriez mieux d'aller préparer vos affaires pour aller chez Susie. Votre père veut qu'on parte dès qu'il rentrera.

Toujours perdue dans ses pensées, Nathalie s'affala sur son lit en arrivant dans sa chambre.

Carrie, qui l'avait suivie, s'adossa au chambranle de la porte.

– Qu'est-ce qui se passe, Nat ? Tu as l'air bizarre.

Comme son nez coulait, elle s'essuya sur sa manche.

Tout à coup, Nathalie se redressa. Si la réaction allergique de Carrie était due à l'hypnose, il aurait fallu qu'elle sache que la statuette était près d'elle, qu'elle la voie pour se mettre à éternuer. Or elle ne savait pas que le chat en bois était caché dans le sac à dos de sa sœur.

Et pourtant elle s'était remise à éternuer !

Cela signifiait qu'elle n'était pas sous hypnose. Elle était vraiment allergique à cette statuette !

« Si Carrie n'est pas hypnotisée, se dit Nathalie, alors moi non plus. Wanda a réellement transformé le papier blanc en feuille jaune. Et le chat en bois n'est pas une vulgaire statuette. C'est Shadow qui attend de ressusciter ! »

Assise à l'avant de la voiture, Mme Holland se retourna pour regarder sa fille.
– Tu es sûre que ça va, Carrie ?
Pour éviter que sa mère annule leur week-end,
Nathalie avait fait en sorte que le chat en bois ne
se retrouve pas à proximité de Carrie. Comme
elle s'y attendait, ses symptômes avaient disparu
– jusqu'à ce que toute la famille monte en voiture.

– Oui, maman, je me sens bien, je t'assure. J'ai
seulement éternué deux fois depuis que nous
sommes partis.

Leur père rassura sa femme en se garant
devant chez les Sanders.

– Ne t'inquiète pas, chérie. Tout va bien se passer. On a prévu ce week-end depuis des mois !

Alors qu'ils descendaient de voiture, Mme
Holland insista :

– Oui, mais elle recommence à renifler.

Nathalie rejoignit son père qui était en train
d'ouvrir le coffre. Son sac à dos était posé sur les
bagages de ses parents. « Flûte, il était trop près
de Carrie », pensa-t-elle. Elle avait emporté la
statuette pour pouvoir obéir aux instructions de

Wanda avant le coucher du soleil – enfin si elle décidait de les suivre. Pour l'instant, elle hésitait encore.

En fait, elle se sentait un peu ridicule de croire que Shadow pouvait renaître de ses cendres.

Il n'y avait qu'un seul moyen d'en avoir le cœur net...

– Tiens, Nat, voilà tes affaires.

– Merci, papa.

Avec son sac sur le dos, Nathalie fila pour le tenir à distance de Carrie. Si son allergie s'aggravait, leur mère risquait de vouloir les ramener chez elles. Et qu'elle choisisse de suivre les instructions de Wanda ou pas, Nathalie n'avait aucune envie de passer la soirée avec ses parents !

Elle avait consulté la chaîne météo : ce jour-là, le soleil se coucherait exactement à vingt heures douze. Ce qui voulait dire qu'il lui restait moins d'une heure pour se décider. Que se produirait-il si elle obéissait à la comptine ? Et qu'arriverait-il si au contraire elle l'ignorait ? Elle ne savait pas ce qui serait le pire !

Après avoir déposé son sac sur le canapé des Sanders, Nathalie aida Susie et ses parents à porter leurs bagages dans la voiture. Carrie courut s'installer dans le bureau pour regarder la télé. Bien sûr, Doug ne se montra pas alors qu'on avait besoin de lui. Quand tout fut rangé dans le coffre et qu'ils furent prêts à partir, Mme Sanders rentra dans la maison en l'appelant :

– Doug! Où es-tu?

Comme par magie, il sortit de la cuisine et demanda innocemment:

—Vous partez déjà? Je peux vous donner un coup de main?

– Nos sacs sont déjà dans la voiture, soupira sa mère, exaspérée. Où étais-tu passé?

– Dans le garage. J'essayais de réparer mon scooter. Steve va passer y jeter un œil tout à l'heure.

Tandis que Mme Sanders confiait à son fils aîné la liste des numéros à appeler en cas d'urgence, Nathalie et Susie échangèrent un regard entendu. Elles savaient toutes les deux que Doug avait disparu délibérément pendant qu'ils chargeaient la voiture. C'était le garçon le plus paresseux de la terre.

– Bon voyage! lança-t-il avec un petit signe de la main.

Et il fila à nouveau dans le garage alors que la voiture n'avait pas encore démarré.

A peine deux minutes après que leurs parents furent partis, on sonna à la porte.

– Ce doit être Steve…

Susie fit un pas vers la porte, puis recula. La sonnette retentit à nouveau, une fois, puis encore et encore. Susie hésitait. Elle se demandait comment elle devait accueillir Steve, en lui sautant au cou ou en jouant l'indifférence. Finalement, Nathalie trancha en allant ouvrir elle-même. Et c'est Jane qui entra.

– Eh bien, vous en avez mis du temps! s'exclama-t-elle en posant son sac dans le salon. J'ai eu peur qu'il se mette à pleuvoir avant que vous me laissiez entrer.

Nathalie nota qu'elle avait de nouveau les cheveux châtains. Ils étaient un peu plus foncés qu'avant, mais elle décida de ne pas le lui faire remarquer. Mieux valait parler de la météo, c'était un sujet moins risqué :

– Oui, l'orage couve depuis hier après-midi. Je me demande s'il va finir par éclater.

Juste à ce moment-là, un éclair déchira le ciel, suivi quelques secondes plus tard d'un grondement de tonnerre.

– Hé, Jane, comment tu me trouves comme ça? demanda Susie.

Ses yeux verts s'écarquillèrent. Elle portait un jean coupé et un T-shirt vert pomme qui lui arrivait au nombril, avec des chaussettes assorties et des baskets à plate-forme. Elle s'était fait deux nattes attachées par des élastiques bleus.

Jane la toisa d'un œil critique.

– Ça dépend. Je ne te laisserais pas sortir comme ça. Mais puisqu'on reste à la maison, ça n'a pas d'importance.

– Ne l'écoute pas. Tu es très bien, Susie, la rassura Nathalie.

On sonna de nouveau à la porte.

– C'est Steve! s'écria Susie en rougissant. Ouvrez-lui pendant que je monte me changer, les filles.

Et elle se rua dans les escaliers.

Jane leva les yeux au ciel et ouvrit la porte.

– Est-ce que Doug est là ?

Steve Kyle, grand et musclé, entra en souriant.

Il vérifia son reflet dans le miroir du hall et passa la main dans ses cheveux blond doré.

– Doug est dans le garage. Passe par la cuisine, si tu veux.

Nathalie lui indiqua la direction. Juste à ce moment-là, Carrie sortit du bureau :

– Vous parlez de cuisine ? Ça tombe bien parce que j'ai faim, moi !

– C'est pas vrai ! s'exclama Jane. Tu n'arrêtes pas de manger !

L'horloge du salon sonna moins le quart. Plus que vingt-sept minutes avant le coucher du soleil. Nathalie fila dans la cuisine chercher un paquet de bretzels que Mme Sanders avait laissé sur la table.

– Quoi ? C'est tout ? gémit Carrie.

Elle prit quand même les biscuits et repartit dans le bureau en grommelant.

Nathalie passa la tête par la fenêtre de l'entrée. Il commençait à pleuvoir et un éclair tout proche la fit sursauter. Elle était de plus en plus nerveuse.

Déjà deux minutes de passées.

Elle vit Steve pousser le scooter de Doug dehors. La petite voiture de Mme Sanders était garée dans l'allée, tandis que le break familial était dans le garage. Doug s'adossa à la voiture de sa mère pendant que son copain examinait le scooter.

Nathalie alla s'asseoir dans le canapé du salon avec Jane. Elle écouta son amie d'une oreille distraite, sans quitter son sac à dos des yeux.

– Mes parents m'ont regardée d'un drôle d'air toute la journée, raconta Jane. Comme j'ai dû utiliser une couleur un peu plus foncée que ma teinte naturelle pour couvrir le bleu, ils trouvaient que j'avais quelque chose de changé mais ils ne savaient pas quoi.

– Mm… fit Nathalie en prenant son sac sur ses genoux.

– Tu pourrais au moins faire semblant d'être intéressée. C'est toi qui as eu la merveilleuse idée de mélanger deux couleurs, Nat !

– Je t'ai déjà dit que j'étais désolée, Jane. Je me demande ce que fabrique Susie.

– Elle n'arrive pas à choisir sa tenue. Elle est vraiment amoureuse de Steve…

Nathalie glissa sa main dans son sac avec précaution pour toucher le chat en bois. Il était toujours glacé.

– Il est super mignon, continua Jane, malheureusement il le sait. Je me demande s'il sort encore avec Sheila Walker…

Nathalie ne l'écoutait plus. Ses doigts la démangeaient : elle avait envie de savoir ce qui se passerait si elle tournait le collier trois fois.

Jane se leva brusquement :

– Je vais appeler Lindsey. Elle doit sûrement être au courant.

Tandis que son amie allait téléphoner dans

l'entrée, Nathalie hocha la tête d'un air absent. D'habitude, elle adorait les ragots du collège, mais ce soir, ça ne l'intéressait pas.

Une fois seule dans le salon, elle tira le chat de son sac et le posa sur la table basse. Les bras croisés sur la poitrine, elle fixait la statuette. Un courant d'air frais soufflant par la fenêtre ouverte la fit frissonner.

Ni Jane ni Susie n'étaient au courant de cette histoire de chat. Nathalie savait que si elle leur en parlait, elles penseraient qu'elle avait perdu la tête. Alors il fallait qu'elle profite de leur absence pour tourner le collier. Comme ça, si rien ne se produisait, elle ne passerait pas pour une folle.

Et si cela déclenchait une catastrophe, au moins, elle ne serait pas seule dans la maison.

Un éclair dans le ciel fit étinceler le collier en argent d'un éclat étrange. Sur la table basse, la lumière de la lampe vacilla. On aurait dit que le chat clignait des yeux d'un air moqueur.

Que se passerait-il si elle faisait pivoter le collier ?

Le chat reviendrait-il à la vie ?

Ce n'était quand même pas possible, ça ?

Les questions se bousculaient dans l'esprit curieux de Nathalie.

L'horloge sonna encore et encore.

Nathalie compta silencieusement. Cinq, six, sept...

Au huitième coup, elle prit le chat dans ses

mains, le renversa tête en bas… et marqua un temps d'arrêt.

Une voix murmurait dans sa tête. C'était sa sœur qui la mettait en garde :

« Tu ne vas pas obéir à cette comptine idiote. C'est peut-être dangereux. »

Eh bien, on verra.

Soudain, plus rien ne comptait. Nathalie devait satisfaire sa curiosité dévorante. Elle voulait absolument savoir et c'était maintenant ou jamais.

Elle tourna le collier une fois, deux fois, trois fois…

CHAPITRE 10

Au bout du troisième tour, le collier se bloqua avec un petit clic.

Et voilà, c'est fait.

Nathalie retint sa respiration, attendant que quelque chose se produise. Rien.

Les mains tremblantes, elle retourna le chat pour examiner ses yeux.

Toujours rien. Il ne battit même pas d'un cil.

Elle le secoua rageusement.

Mais il n'ouvrit pas la bouche pour découvrir ses canines aiguisées. Pas plus qu'il ne souffla, siffla, miaula ou ronronna. Elle avait juste dans les mains un bout de bois immobile taillé en forme de chat.

En soupirant, Nathalie reposa le chat sur la table basse. Ce n'était pas et ce ne serait jamais Shadow – mort ou vivant. En fait, elle n'avait jamais réellement cru à toute cette histoire. Mais la petite fille en elle s'était attendue à quelque chose d'extraordinaire. Oui, elle avait même espéré que quelque chose se produirait – peut-être parce qu'elle voulait désespérément se raccrocher à l'idée qu'il existait une force merveilleuse plus forte que la mort.

Elle aurait voulu que Shadow revienne à la vie. Mais il était mort, et aucune formule magique ne pouvait le ressusciter. La comptine gravée sous la statuette n'était qu'une plaisanterie cruelle.

Wanda devait bien rire d'elle en ce moment. Au moins, elle avait suivi ses instructions et acquitté sa dette.

A la fois déçue et soulagée, Nathalie décida d'aller voir ce que fabriquait sa sœur. Cela faisait plus d'une demi-heure qu'elle était étrangement calme. Alors que Nathalie sortait du salon, elle remarqua qu'à côté de l'horloge un des tiroirs de la commode était ouvert. Elle s'approcha pour le refermer, mais à l'intérieur une pile de lettres attira son attention.

C'était très indiscret de lire des papiers personnels, elle le savait. Mais sa curiosité l'emporta. De qui venaient ces lettres ? Que racontaient-elles ? Alors qu'elle sortait le courrier du tiroir, la porte d'entrée claqua et elle le lâcha.

Que se passait-il ? Nathalie se précipita dans le couloir.

Doug s'essuyait les pieds sur le paillasson en râlant :

– Quel temps de chien ! Je suis trempé.

Il s'ébroua puis s'adossa à la porte d'entrée en bâillant. Ça n'avait pas l'air de le gêner d'avoir inondé le hall.

– Il pleut des cordes ! renchérit Steve.

Il secoua ses cheveux et commença à se recoiffer devant le miroir.

Juste à ce moment-là, Carrie sortit du bureau, son sachet de bretzels vide à la main.

– J'ai encore faim, moi ! gémit-elle.

Susie apparut en haut des escaliers et s'étonna :

– Qu'est-ce que vous faites tous là ?

Elle avait mis un haut beige sans manches sur un short marron avec des chaussures de marche. Comme elle avait défait ses nattes, ses cheveux ondulaient légèrement.

Jane, qui était toujours pendue au téléphone, la toisa un instant puis posa sa main sur le combiné pour lui glisser :

– Ce short te grossit, Susie.

Ça alors ! Jane était toujours très franche, mais d'habitude elle n'était pas aussi désagréable. Susie pâlit sous l'insulte et remonta dans sa chambre à toute allure.

– Qu'est-ce que c'est que ça ?

Steve se pencha plus près du miroir pour examiner son nez sans remarquer que la fenêtre ouverte laissait entrer la pluie par rafales.

– Il faudrait peut-être fermer la fenêtre, suggéra Nathalie.

Personne ne parut l'entendre. Doug s'était carrément endormi adossé à la porte ! Quel fainéant ! Secouant la tête, elle se tourna vers Steve.

– Tu devrais rentrer le scooter dans le garage, non ?

Mais Steve l'ignora : il était absorbé dans la contemplation de son propre reflet.

– C'est pas vrai : j'ai un bouton ! Je n'en ai jamais eu de ma vie !

En effet, un bouton tout rouge bourgeonnait au bout de son nez.

Aussitôt Jane s'empressa de dire dans le téléphone :

– Tu sais quoi, Lindsey ? Steve Kyle a un énorme bouton. Oh ! Il en a même deux, non, trois ! Beurk !

Affolé, Steve se mit à hurler :

– Quoi ! Ce n'est pas possible !

Intriguée, Nathalie se pencha par-dessus son épaule et constata que son visage se couvrait à vue d'œil d'acné purulente. C'était incroyable !

C'est alors que plusieurs éclairs déchirèrent le ciel si violemment que la maison en trembla. Toutes les ampoules clignotèrent. La pluie entrait à flots par la fenêtre.

Pourtant cela n'avait l'air de déranger personne. Nathalie dévisagea ses amis un à un, mais aucun ne se préoccupait de l'inondation. Doug continuait à dormir debout appuyé au battant métallique de la porte. Jane débitait toutes sortes d'horreurs dans le téléphone et Steve se peignait les cheveux. « C'est vraiment bizarre, se dit Nathalie, comme si tous leurs défauts étaient grossis. » Elle trouvait cela terrible, mais en même temps très intéressant.

Carrie se mit à couiner en tapant des pieds.

– Je veux quelque chose à manger ! Tout de suite !

– Et comme ça, c'est joli ? demanda Susie du palier du premier étage.

Nathalie écarquilla les yeux en découvrant l'accoutrement de son amie. Elle avait gardé ses chaussures de marche aux pieds avec une petite robe à fleurs. On aurait dit qu'elle hésitait entre partir pour l'ascension de l'Himalaya ou aller danser dans un endroit chic. En plus, le pull rouge jeté sur ses épaules jurait affreusement avec le bleu de sa robe. Avant que Nathalie ait eu le temps d'ouvrir la bouche, Susie fit demi-tour et remonta dans sa chambre.

« Pff ! Quelle tenue elle va nous sortir, maintenant ? » se demanda son amie.

Un craquement sourd venu de dehors attira son attention et elle se précipita à la fenêtre. Une branche de platane venait de s'abattre dans l'herbe. C'était la première fois qu'elle voyait un arbre frappé par la foudre ; c'était très impressionnant. Comme une flaque s'était formée dans la maison sous la fenêtre, Nathalie décida de la fermer mais, tout à coup, elle se figea.

La roulotte de Wanda était garée sur le trottoir d'en face !

Les torrents de pluie brouillèrent un instant sa vue. Pensant être à nouveau victime d'une hallucination, Nathalie cligna des yeux deux ou trois fois. Puis la foudre éclaira la rue d'une lumière vive. Pas de doute possible : c'était bien la roulotte de la vieille femme remorquée par une camionnette cabossée.

Comment Wanda avait-elle su où elle passait le week-end ? L'avait-elle suivie depuis la veille ? Que voulait-elle ?

La fenêtre à guillotine se ferma brusquement, laissant Nathalie bouche bée. Elle fit un bond en arrière, glissa dans la flaque d'eau et tomba contre la porte.

Juste à cet instant, la foudre s'abattit sur le porche. L'électricité parcourut la rambarde de fer forgé jusqu'à la porte métallique, comme si l'éclair visait Nathalie pour la foudroyer.

CHAPITRE 11

La foudre réveilla Doug en sursaut. Il s'effondra sur Nathalie, la jetant à terre juste un quart de seconde avant que le courant électrique ne traverse la porte.

Doug se redressa en clignant des yeux. Nathalie s'écarta précipitamment de la porte zébrée d'éclairs bleus et dorés. Le verrou brûlé fumait. De grosses cloques apparurent sur la peinture et l'encadrement en plastique fondit.

Soudain, toutes les lampes s'éteignirent, ainsi que le télé.

Nathalie jeta un regard à Doug. Les paupières closes, il bâilla et s'allongea par terre, les bras croisés sous la tête.

C'était dingue ! Ils venaient d'échapper de justesse à une électrocution qui les aurait transformés en friture, et monsieur le Fainéant se rendormait sans sourciller !

Et le pire, c'est que personne dans le hall n'avait réagi non plus ! Chacun était enfermé dans son petit monde, entièrement possédé par son pire défaut.

Nathalie se releva sur ses jambes flageolantes

et marqua un temps d'arrêt pour reprendre ses esprits. C'était un vrai cauchemar !

Jane secoua le combiné, le recolla à son oreille puis le reposa brutalement sur sa base en grondant :

– Ce téléphone est mort !

Même s'il faisait trop sombre pour voir quoi que ce soit, Steve continuait à s'admirer dans le miroir.

Carrie tapota le paquet de bretzels vide et enfourna voracement les miettes dans sa bouche.

– Et comment je fais, moi, pour m'habiller sans lumière ! gémit Susie du premier étage.

Nathalie respira un grand coup, et elle se rappela qu'elle avait aperçu la roulotte de Wanda. Elle essaya de relever la vitre, croisant les doigts pour que la foudre ne s'abatte pas à nouveau sur la maison. Le loquet n'était pas poussé et pourtant la fenêtre refusait de s'ouvrir. Nathalie jeta un œil dehors, mais il pleuvait tellement qu'elle ne voyait rien. Elle aurait pourtant voulu savoir si la roulotte était toujours garée de l'autre côté de la rue.

Elle essaya alors de tourner la poignée de la porte, mais elle était coincée. Elle poussa le battant de toutes ses forces, en vain : la porte était bien bloquée. Quelle horreur ! Ils étaient prisonniers ! En se précipitant dans le salon, elle trébucha sur Doug qui dormait au milieu du couloir.

La baie vitrée du salon se referma brusquement lorsque Nathalie approcha. Elle entendit toutes les fenêtres de la maison se fermer une à une : la cuisine, le bureau, les chambres... Zip ! Bang ! Zip ! Bang !

Ce ne pouvait être que Wanda.

Avait-elle le pouvoir de commander les objets à distance ? Ou Nathalie était-elle juste victime d'une hallucination ?

Une lueur étrange apparut sur le palier du premier étage et descendit vers le rez-de-chaussée. Pétrifiée, Nathalie la suivit des yeux.

– Pourquoi êtes-vous tous encore dans l'entrée ? demanda Susie, une bougie à la main.

Cette lueur, ce n'était que Susie !

« Mais cela n'explique pas comment toutes les fenêtres ont pu se fermer en même temps, se dit Nathalie. Ni la poussée d'acné foudroyante de Steve, ni le sommeil inébranlable de Doug, ni le comportement bizarre des autres. »

Carrie avait toujours faim, Susie n'arrivait pas à prendre une décision, Jane disait brutalement tout ce qu'elle pensait...

C'était dans leur caractère, d'accord, mais jamais à ce point-là. Leurs défauts étaient poussés à l'extrême.

Là, Susie portait des chaussons-nounours et un caleçon noir sous sa robe à fleurs. Elle avait attaché ses cheveux en palmier avec une grosse barrette sur le sommet de sa tête.

Jane passa derrière Steve et lui épousseta les épaules en remarquant méchamment :

– Qu'est-ce que tu as comme pellicules, Steve ! C'est dégoûtant.

Ignorant la critique, Steve lui tourna le dos et se dirigea vers la cuisine.

– Je vais rentrer le scooter, annonça-t-il.

– C'est une véritable tempête de neige quand tu marches, continua Jane qui le suivait.

Carrie arrêta enfin de lécher les miettes de bretzels sur ses doigts pour les accompagner dans la cuisine.

– Il faut que je me trouve quelque chose à manger. Je meurs de faim !

– Steve est parti ? chuchota Susie. Je ne voudrais pas qu'il me voie avant que j'aie fini de me coiffer.

– Il est dans le garage. Mais ne t'en fais p…

Nathalie s'interrompit brusquement. Elle venait de penser à quelque chose : comment Steve allait-il sortir pour prendre le scooter ?

– Bon, je vais commencer par enlever ces chaussons, annonça Susie. Euh… et puis non, je vais d'abord me coiffer et ensuite je me changerai…

Sans cesser son monologue, elle remonta au premier pour continuer ses essayages. Mais finalement, elle s'arrêta en haut des escaliers et fit demi-tour, elle redescendit puis elle repartit dans l'autre sens.

Nathalie la laissa marmonner et rejoignit les autres dans la cuisine. Carrie était assise sur la table.

Jane referma un placard et tendit une torche à Nathalie.

– Tiens, j'ai trouvé ça.

Elle alluma la sienne et la pointa vers Carrie.

– Berk ! Elle est immonde, ta sœur !

Nathalie sentit son cœur se soulever. Sa petite sœur était en train de lécher une plaquette de beurre directement dans le beurrier.

– Tu es une grosse truie, Carrie Holland, lança Jane.

– Toi-même, répliqua l'intéressée en lui tirant une langue pleine de beurre.

Nathalie prit la défense de sa sœur :

– Qu'est-ce qui te prend, Jane ? Pourquoi tu insultes tout le monde ?

– Mais je ne dis que la vérité, répondit Jane, rouge d'indignation. Tu ferais mieux de te regarder, Nat. Tu fais n'importe quoi, et après, tu n'assumes pas. Tu aurais au moins pu me rembourser la teinture que j'ai dû acheter pour réparer tes bêtises…

– Tu n'avais qu'à ne pas me laisser mélanger les deux couleurs.

– Tu parles ! C'est impossible de t'arrêter quand tu as une idée derrière la tête. C'est pire que d'essayer de stopper un train à mains nues !

Soudain, un craquement sourd venant du garage les interrompit. Nathalie abandonna Jane pour courir à la porte. Il fallait qu'elle sache ce qui se passait. Sa curiosité dévorante lui fit perdre toute prudence.

Elle se précipita dans le garage en allumant sa torche. Ce qu'elle vit la figea dans son élan. Un énorme arbre foudroyé avait défoncé le toit. Mais les grosses poutres qui soutenaient le garage avaient retenu le tronc dans sa chute. Elles commençaient à se fendre et risquaient de céder à tout moment.

Steve se tenait à quelques mètres de Nathalie, juste en dessous de l'arbre abattu. Si la charpente cédait, il serait écrasé. Pourtant, complètement absorbé par la contemplation de son reflet dans les chromes de la voiture des Sanders, il n'avait pas du tout conscience du danger.

Une des poutres émit un craquement sinistre. Pointant sa torche vers la toiture, Nathalie restait pétrifiée d'horreur. La charpente s'affaissait de plus en plus sous le poids de l'arbre. Steve, lui, continuait tranquillement à s'admirer.

Si Nathalie ne sortait pas de là immédiatement, elle serait tuée, elle aussi. Pourtant elle ne pouvait pas laisser Steve mourir. Elle accrocha la lampe de poche à la poignée de porte pour avoir les mains libres et s'avança pour le sauver.

Brusquement, un placard s'ouvrit à sa gauche.

Intriguée, Nathalie abandonna ce qu'elle était en train de faire. Pourquoi ce placard s'était-il ouvert ? Et qu'y avait-il dedans ?

Une autre poutre craqua, mais elle n'y prêta pas attention.

Emportée par sa curiosité, elle avait oublié Steve, l'arbre abattu et même le danger. Sa curiosité était plus forte que tout. Elle s'approcha du placard. Il fallait qu'elle regarde à l'intérieur.

Mais un cri déchirant la stoppa net dans son élan. Il venait de la cuisine. C'était sa sœur, Carrie, qui l'appelait au secours.

CHAPITRE 12

Nathalie se figea et demeura un instant paralysée par la peur. Carrie appelait à l'aide.

Ses cris avaient suspendu l'irrésistible attraction que la curiosité exerçait sur elle. Rien n'était plus important que de porter secours à sa petite sœur.

Une autre poutre s'effondra. « Il faut que je sorte de ce garage vivante ! » se dit Nathalie, paniquée. Tandis qu'elle cherchait une solution, un marteau se décrocha du mur et fonça sur elle. Elle l'esquiva de justesse et faillit être assommée par une brique volante. Puis le garage entier se déchaîna contre elle : seaux, outils et ustensiles voltigeaient à travers la pièce pour l'attaquer sauvagement, mus par une force invisible. Les portes des placards s'ouvraient et se refermaient frénétiquement. Les étagères renversaient tout leur bric-à-brac par terre. Un vent de fureur soufflait sur le garage !

Dominant sa peur, Nathalie décida de ne pas se laisser impressionner et se précipita vers Steve. Maintenant, Nathalie était sûre que Wanda avait des pouvoirs magiques surpuissants.

Mais elle n'avait pas le temps de se pencher sur la question.

Au-dessus d'elle, la charpente s'effondrait petit à petit avec des craquements sinistres.

– Viens, Steve! hurla-t-elle. Il faut qu'on sorte d'ici.

Mais il ne réagit pas. Son regard était vide, comme celui d'un zombie.

Nathalie agrippa sa chemise et le tira vers la porte. Puis elle le plaqua au sol, plongeant à plat ventre dans la cuisine.

Juste au moment où ils atterrissaient sur le carrelage, le toit du garage céda et s'écroula dans un bruit de tonnerre.

C'est alors que le courant revint. Nathalie ferma les yeux, éblouie par les néons de la cuisine. «Je suis prisonnière dans une maison hantée et je ne peux pas m'échapper!» pensa-t-elle. Les cris perçants de Jane la ramenèrent à la réalité:

– Beurk! Carrie! Tu me dégoûtes!

Carrie! Nathalie bondit sur ses pieds et chercha sa sœur du regard. Elle était à demi cachée par la porte du réfrigérateur, en train de manger quelque chose. Ouf! Elle n'était pas blessée. Soulagée, Nathalie retrouva un peu son calme.

Steve se releva en époussetant tranquillement ses vêtements. Il n'avait pas l'air de réaliser qu'il venait de frôler la mort. Jane et Carrie n'avaient pas non plus réagi en entendant le garage s'effondrer.

Nathalie fronça les sourcils. C'était vraiment bizarre…

Puis elle se rappela qu'emportée par sa curiosité, elle aussi avait failli ne pas s'apercevoir que l'arbre menaçait de les écraser. Elle avait perdu toute notion du danger tant elle avait eu envie de regarder ce que recelait ce maudit placard. Elle avait été entièrement happée par son pire défaut : la curiosité. Heureusement, les cris de Carrie l'avaient ramenée à la réalité.

– Nat, tu as vu ce que fait ta sœur ? lui demanda Jane en se bouchant le nez.

– Je l'ai entendue crier tout à l'heure. Qu'est-ce qu'elle a ?

– Elle se bourre de trucs immondes.

– Tu sais, elle se gave tout le temps de cochonneries, répliqua Nathalie en haussant les épaules.

– Mais là, ce sont carrément des saletés ! Regarde !

Nathalie s'approcha du réfrigérateur dans lequel sa sœur était plongée. Des insectes de toutes les tailles et de toutes les formes grouillaient sur des restes en décomposition, du lait tourné et des fruits pourris. Et Carrie fourrait goulûment cette pâtée putride dans sa bouche. Nathalie eut un haut-le-cœur et dut se détourner pour ne pas vomir.

– Steve, tu as une tête pas possible… c'est aussi dégoûtant que ce qu'il y a dans le frigo ! s'exclama Jane. En plus, tu perds tous tes cheveux !

Steve ne réagit pas. Intriguée, Nathalie le dévisagea. Sa peau s'était entièrement couverte de boutons purulents et il était à moitié chauve. Des poignées de cheveux jonchaient ses épaules et on voyait déjà son crâne par endroits. Elle n'avait rien remarqué dans l'obscurité du garage.

Susie entra dans la cuisine, l'air préoccupé. Elle portait les mêmes vêtements, mais elle tenait une grosse barrette à la main et il lui manquait un chausson. Elle s'arrêta, hésita un instant puis repartit dans l'entrée en marmonnant :

– Non, finalement, je vais mettre mes boucles d'oreilles en argent...

Inquiète, Nathalie se retourna vers sa sœur et s'aperçut que Carrie flottait dans son pantalon, comme si elle avait brusquement perdu plusieurs kilos. Elle qui avait toujours été un peu enrobée maigrissait maintenant à vue d'œil alors qu'elle mangeait sans s'arrêter.

Le pire défaut de chacun avait bien été poussé à l'extrême. Pour Nathalie, c'était son insatiable curiosité, pour Jane, sa cruelle franchise. Susie, elle, ne pouvait rien décider, tandis que son fainéant de frère ne faisait que de dormir. C'était comme s'ils avaient perdu toute leur énergie psychique, toutes leurs défenses. Ils ne pouvaient plus se contrôler et leurs mauvais côtés prenaient le dessus.

Steve et Carrie étaient les plus durement touchés. Steve ne cessait de s'admirer alors qu'il s'enlaidissait à chaque seconde. Carrie mourait de faim, et elle avait beau manger tout ce qui lui tombait sous la main, elle ne cessait de maigrir. Ils étaient tous les deux en train de s'épuiser, ils se vidaient de leur énergie.

Ce devait être un coup de Wanda, mais pourquoi s'attaquait-elle à eux ?

Tout à coup, le sang de Nathalie se glaça. Elle venait de comprendre.

C'était à cause du chat !

Il s'était bien produit quelque chose lorsqu'elle avait fait pivoter son collier. Elle avait mis en marche un processus implacable. Au début, ce n'était pas évident, mais maintenant c'était affreusement clair. L'énergie vitale de sa sœur et de ses amis était absorbée pour ressusciter Shadow. Et cela empirait de minute en minute.

Pourtant, contre toute attente, Nathalie se sentait étrangement calme et concentrée. C'était en résistant à la curiosité pour venir au secours de sa sœur qu'elle avait repris des forces et retrouvé ses esprits. Elle avait dû couper la source d'énergie dont avait besoin le chat et c'était sans doute pour cela que Wanda l'avait attaquée avec les outils...

Nathalie pâlit en réalisant ce que cela signifiait : il fallait que quelqu'un meure pour ramener Shadow à la vie.

Elle venait de comprendre le sens des paroles de Wanda : « Les chats ont neuf vies... et toi, Nathalie ? » Sa dernière phrase résonnait encore à ses oreilles : « Tu paieras ta dette, je te le promets. »

Wanda estimait que Nathalie lui devait une vie

– la vie de son chat – et elle comptait prendre celle de l'une des personnes qui étaient dans la maison, en compensation. Malheureusement, Carrie, Nathalie et leurs amis n'avaient qu'une vie !

Les défauts de Susie et de Jane n'étaient pas graves au point de les tuer. Steve était encore vivant parce qu'elle l'avait tiré du garage juste à temps...

Mais Carrie, elle, était en train de dépérir !

Nathalie s'efforça de garder son calme. Il ne fallait pas qu'elle panique, la vie de sa sœur en dépendait. Elle ne savait pas exactement de quels pouvoirs Wanda disposait et, pour la toute première fois, elle n'était pas curieuse de le savoir. Cependant, elle était sûre d'une chose : la vieille femme tenait à ce qu'ils restent prisonniers pour les garder à sa merci. Le sort qu'elle leur avait jeté ne devait plus agir s'ils arrivaient à sortir...

Nathalie devait réfléchir vite. Le téléphone était coupé, pas moyen d'appeler à l'aide. Elle ne pouvait compter que sur elle-même pour les tirer de là !

La fenêtre de la cuisine était composée de petits carreaux avec un cadre en bois, trop difficile à briser. La porte de la maison était bloquée... en revanche, elle pouvait essayer de briser la vitre de l'entrée.

Elle s'arma d'une lourde poêle en fonte et annonça :

– Allez ! On s'en va, Carrie.

– Non, j'ai faim, Nat. Il faut que je mange…

Elle fit sauter le couvercle d'une barquette de fromage frais. Carrie plongea son doigt dans la crème grouillante d'asticots et le lécha goulûment. Les petits vers craquèrent sous ses dents avant qu'elle avale.

Nathalie dut combattre la nausée qui lui soulevait le cœur pour agripper sa sœur presque squelettique et l'éloigner du frigo.

– Steve ! Jane ! Venez dans le hall !

– Ah ! Tu joues à la chef, maintenant ? remarqua Jane d'un ton ironique.

– Ce n'est pas le moment, Jane.

Nathalie n'avait pas le temps de leur expliquer ce qui se passait et, de toute façon, ils ne la croiraient pas.

– On y va. Suivez-moi.

Jane tira Steve par la manche en grommelant.

– Ok, Nat. Mais je me demande ce qui te prends. Tu es vraiment ridicule avec ce truc à la main…

– Je sais, Jane. C'est bon, n'en rajoute pas.

Nathalie traîna sa sœur dans l'entrée et buta sur Doug qui dormait toujours dans le passage.

Trop indécise pour savoir où aller, Susie tournait en rond au bas des escaliers.

– Eh ! Mais vous partez déjà ? s'étonna-t-elle.

– Il faut qu'on sorte de la maison, lui expliqua Nathalie. Viens !

Empoignant la poêle à deux mains, elle fit un pas vers la fenêtre de l'entrée.

Juste à cet instant, un miaulement strident retentit. Un long frisson parcourut Nathalie. Elle souleva son arme mais, au moment où elle allait la lancer à travers la vitre, une force invisible la lui arracha des mains. La poêle fut projetée sur la porte métallique avec fracas... mais elle ne retomba pas, elle resta collée. La porte agissait comme un aimant géant.

Furieuse, Nathalie voulut essayer de récupérer sa poêle. Mais, avant qu'elle puisse atteindre la porte, un mur de flammes se dressa devant elle.

CHAPITRE 13

Nathalie recula précipitamment, les bras repliés sur son visage. Les flammes s'étendirent à travers le hall, bloquant l'accès à la porte d'entrée et à la fenêtre. Nathalie tourna sur elle-même et découvrit que des rideaux de feu condamnaient le bureau, la cuisine et les escaliers. L'angoisse lui coupa le souffle. Le feu n'essayait pas de les brûler, mais il les emprisonnait !

– Moi, je ne sors pas sous la pluie, marmonna Jane d'un ton boudeur.

Elle prit le téléphone sans fil et enjamba Doug pour se rendre dans le salon. Elle s'arrêta pour coller le combiné à son oreille. Elle n'avait même pas remarqué qu'il y avait le feu à quelques mètres d'elle.

– Il marche ? demanda Nathalie.

Elle espérait pouvoir appeler les secours, la police ou les pompiers, peut-être.

– Non, la ligne est toujours coupée.

Pourtant, Jane composa quand même un numéro et se mit à arpenter la pièce de long en large.

« On va tous mourir si on reste là », s'affolait

Nathalie. Wanda voulait tous les rassembler dans le salon où se trouvait le chat en bois.

Elle se fichait probablement de qui mourait, du moment qu'elle récupérait son chat.

Nathalie devait se protéger mais aussi faire attention aux autres. Carrie, Steve, Susie et Doug n'étaient pas capables de se défendre. Ils ne s'étaient même pas aperçus que le hall était en feu ! Pourquoi étaient-ils complètement indifférents à ce qui se passait autour d'eux ? Sans doute parce qu'ils utilisaient toute leur énergie pour ce qui les obsédait. « Mais de toute façon, peu importe, il faut à tout prix les faire sortir de là ! »

Nathalie tapota l'épaule de Susie.

– Va dans le salon, Susie.

– Dans le salon ? Mais mes baskets sont en haut. Il faut que je…

Nathalie la poussa gentiment dans la bonne direction :

– Allez, Susie, entre dans le salon !

En passant, Susie trébucha sur son frère qui ne bougea pas d'un pouce.

Nathalie attira sa sœur dans l'autre pièce en lui susurrant :

– Viens, Carrie. Il y a de délicieuses plantes par là-bas.

Et elle lui montra un pot d'herbes aromatiques que Mme Sanders avait installé sur une étagère du salon. Retenant son pantalon trop grand d'une main, Carrie s'empressa d'aller les grignoter.

– Miam ! J'ai tellement faim.

Nathalie éloigna Steve du miroir et lui conseilla d'aller admirer son reflet dans l'argenterie. Il obéit docilement tandis qu'elle roulait Doug dans la pièce. Elle faisait exactement ce que Wanda attendait d'elle.

Un autre mur de flammes se dressa pour fermer le salon dès que Nathalie fut entrée. « Nous sommes prisonniers comme des rats en cage », se désespéra-t-elle.

Son regard se posa alors sur le chat en bois.

Il avait l'air presque vivant.

Même si elle avait compris depuis un moment que Shadow était un chat mort-vivant, elle resta médusée. Le collier en argent brillait d'une lueur étrange, le bois s'était couvert de fourrure noire et le bout de sa queue commençait même à remuer. Les cicatrices grises et l'oreille gauche déchirée prouvaient que c'était bien le même animal.

– Quand le chat sort de sa tombe… murmura Nathalie.

Et juste à cet instant, le chat ouvrit les yeux. Il la fixa d'un air de reproche.

« La curiosité est un vilain défaut. »

« Il ne faut pas réveiller un chat qui dort. »

Les proverbes résonnaient aux oreilles de Nathalie comme autant d'accusations.

Elle ne pouvait plus se cacher la vérité.

C'était de sa faute si Shadow était mort. C'était sa curiosité qui l'avait tué. Elle avait voulu connaître le prix de la statuette et avait déclenché les clochettes d'alarme. Le vacarme avait réveillé le chat en sursaut et, affolé, il s'était précipité au milieu de la route.

C'était donc à Nathalie de payer sa dette – pas à ses amis ni à sa sœur.

Jane appuya sur la touche bis du téléphone et le porta à son oreille.

– Allô? Allô? répétait-elle en vain puis elle recomposait le numéro et ainsi de suite.

Susie se leva et s'assit par terre puis elle remonta sur le canapé et se mit à natter et dénatter frénétiquement ses cheveux.

Steve se pencha vers son copain qui dormait comme une masse sur le sol.

– Tu aurais un peigne, Doug?

Mais il n'avait pas besoin de se coiffer : il était complètement chauve!

Carrie avait dévoré jusqu'au dernier brin de persil et de basilic et maintenant elle attaquait les feuilles qui se trouvaient sur le bureau, mâchouillant le papier avec entrain. Horrifiée, Nathalie voyait sa petite sœur fondre à vue d'œil et se couvrir de plaques rouges.

Pourtant Carrie et les autres n'avaient rien fait. Ce n'était pas juste qu'ils paient pour ses erreurs, mais visiblement Wanda n'en avait rien à faire, du moment qu'elle obtenait ce qu'elle voulait.

Soudain Nathalie réalisa quelque chose d'affreux : elle non plus ne s'était jamais préoccupée de savoir qui risquait de pâtir de ses bêtises! Sa curiosité maladive avait toujours causé de nombreux dégâts, mais c'était à chaque fois quelqu'un d'autre qui en avait souffert. Comme Carrie qui avait eu trois points de suture quand elle s'était coincé le doigt dans la tapette à souris, ou Jane qui avait dû racheter de la teinture parce que Nathalie s'était trompée. Elle s'en voulait tellement ! Elle n'aurait pas dû traiter ses amis et sa famille de cette façon. Et elle avait eu tort de ne pas assumer ses responsabilités. Mais Wanda avait tort également : ce n'était pas juste de faire payer des innocents !

Et quelqu'un allait payer de sa vie si elle ne parvenait pas à les évacuer tous de la maison.

De hautes flammes condamnaient toujours l'accès au hall d'entrée. Désespérée, Nathalie se rua vers la baie vitrée du salon. Le vent et la pluie se déchaînaient de plus belle tandis que les éclairs déchiraient la nuit. En temps normal, il n'était vraiment pas conseillé de sortir sous l'orage. Mais cette tempête n'était rien comparée aux pouvoirs maléfiques de Wanda. C'était le seul moyen de sauver tout le monde. Nathalie poussa la fenêtre de toutes ses forces... mais elle ne bougea pas d'un pouce.

A genoux sur le parquet, Carrie se bourrait de morceaux de papier. Elle n'avait plus que la peau sur les os : il fallait absolument intervenir, sinon elle allait mourir !

Folle de terreur, de rage et de peine, Nathalie s'empara de la lampe posée sur la table basse. Le chat cracha, mais elle l'ignora. Il n'y avait pas une seconde à perdre. Au fur et à mesure que Shadow reprenait vie, sa sœur avançait vers la mort. Elle leva le bras en prenant son élan pour jeter la lampe. Juste au moment où elle allait la lancer, une force sauvage la lui arracha et l'envoya s'écraser contre le mur. Pourtant Nathalie ne s'arrêta même pas. Elle voulut saisir un gros dictionnaire sur le bureau, mais elle ne réussit pas à le soulever.

Le chat miaula faiblement.

Nathalie lui jeta un regard, en continuant à chercher frénétiquement un moyen de se tirer de ce piège. « Réfléchis, Nat ! se dit-elle. Vite ! » Elle respira profondément pour essayer de calmer les battements de son cœur. « Bon, je n'arriverai pas à briser la vitre, Wanda m'empêche de lancer quoi que ce soit. Mais il doit bien y avoir un autre moyen de sortir d'ici ! »

La queue du chat remuait de plus en plus normalement. C'était bien celle de Shadow, car elle était un peu tordue. En contemplant l'animal, Nathalie eut une soudaine inspiration : si elle ne pouvait pas évacuer sa sœur et ses amis de la maison, il fallait qu'elle fasse sortir le chat !

Génial, mais comment faire ?

Wanda n'apprécierait certainement pas qu'elle lance son chat par la fenêtre. En plus, Nathalie l'avait déjà tué une fois, elle ne voulait pas risquer de le blesser à nouveau. « Il faudrait que je trouve un moyen de le protéger… »

Et là, elle eut une idée : elle n'avait qu'à passer à travers la vitre en le tenant dans ses bras. A condition que Wanda la laisse faire.

La vieille femme ne devait quand même pas être invincible. Même si elle avait de puissants pouvoirs, elle devait dépenser beaucoup d'énergie pour bloquer les issues et faire brûler les murs de flammes. Nathalie était bien plus lourde qu'une lampe ou qu'un livre – et elle avait beaucoup de volonté. Il ne lui restait qu'à espérer que Wanda n'allait pas utiliser une nouvelle arme maléfique pour l'empêcher de passer à travers la fenêtre. Avec un peu de chance, en voulant protéger son chat, la vieille femme éviterait également à Nathalie de se blesser. Parce que, sinon, le verre brisé risquait de les couper sérieusement.

Pour le savoir, il fallait essayer. De toute façon, Nathalie n'avait plus rien à perdre.

Elle tendit la main vers le chat.

Il souffla en découvrant ses canines tranchantes comme des lames de rasoir.

CHAPITRE 14

Nathalie hésita : ce chat à moitié mort était vraiment repoussant. Il était déjà assez vivant pour siffler et cracher… bientôt il pourrait même mordre et griffer. Il pouvait lui lacérer le visage et les bras avant même qu'elle n'atteigne la fenêtre.

« Mais je n'ai pas le choix, c'est un risque à prendre », se dit Nathalie en jetant un regard circulaire sur le salon.

Susie continuait à faire et à défaire ses nattes en s'asseyant et se relevant, comme un robot.

Les dents de Steve étaient devenues toutes noires de caries.

Complètement hystérique, Jane hurlait des insultes dans le téléphone.

Carrie s'écroula, son corps squelettique était couvert de plaques rouges. Nathalie détourna les yeux quand elle la vit se ratatiner sur le sol avec un râle d'agonie.

Elle était en train de mourir !

Nathalie empoigna le chat par les pattes pour éviter ses crocs acérés. Il n'était plus glacé, mais encore froid. Lorsqu'elle le serra sur sa poitrine, il gigota un peu. Il pouvait ouvrir les yeux et la bouche en agitant sa queue, mais il n'était pas encore assez vif pour se débattre vraiment.

Nathalie se tourna vers la fenêtre, le chat dans les bras. Une force magique s'accrochait à ses jambes pour essayer de l'empêcher d'avancer. Elle résista en se concentrant sur la baie vitrée, chassant toute autre pensée.

Mais Wanda ne se laissait pas faire. Des mains invisibles agrippèrent les pieds de Nathalie et une voix lancinante s'insinua dans son esprit : « Pose ce chat ! Pose ce chat… »

Nathalie décida de la combattre avec les mêmes armes. Elle imagina un mur de brique solide et insonorisé pour se protéger des suggestions de Wanda.

Comme le chat se tortillait dans ses bras, elle le serra plus fort. Puis elle rassembla tout son courage et se jeta contre la vitre. Elle était à la fois contente d'avoir résisté au pouvoir magique de la vieille femme et terrorisée parce qu'elle risquait d'être blessée par le verre brisé.

Cependant, le choc qu'elle redoutait ne se produisit pas. Un centième de seconde avant que Nathalie ne touche la glace, la fenêtre s'ouvrit.

Sans hésiter, Nathalie plongea dans la tempête. Elle atterrit dans un parterre de soucis, avec le chat dans les bras. Mis à part quelques bleus, elle n'avait rien. Shadow miaula et se débattit faiblement. « C'est bon, il ne va pas trop mal pour un chat mort-vivant », pensa Nathalie en se relevant.

Mais ce n'était pas encore la fin du cauchemar.

Courbée sous le vent déchaîné, Nathalie profita du flash violent d'un éclair pour scruter les alentours. Ce qu'elle vit la glaça jusqu'à la moelle des os.

Wanda avançait lentement vers elle sous les torrents de pluie. Ses longs cheveux gris, son châle noir et sa jupe flottaient au vent. Elle portait un collier en argent autour du cou... exactement le même que le chat en bois !

Nathalie eut un coup au cœur en se rappelant le mannequin qui avait les vêtements de Wanda dans sa roulotte. Soudain, elle se sentit soulagée de n'avoir tué que le chat. Elle préférait ne pas imaginer ce qui arrivait à ceux qui blessaient sa maîtresse.

Terrifiée, Nathalie serra le chat plus fort dans ses bras. Elle sentait des larmes de remords lui piquer les yeux. Elle ne voulait pas que Shadow disparaisse pour de bon. Mais elle n'admettait pas non plus que sa sœur meure pour le sauver. S'il lui fallait une vie en échange, ce devait être la sienne.

Wanda s'arrêta à quelques mètres d'elle. Ses yeux étincelèrent d'une lueur étrange lorsqu'elle pointa un index squelettique sur Nathalie.

– Tu as une dette envers moi, Nathalie Holland !

– Je sais, hurla Nathalie pour que sa voix ne se perde pas dans le fracas de l'orage.

– Je vais prendre mon dû !

– D'accord, mais c'est moi qui vais payer, pas

ma sœur, ni mes amis. Ce n'est pas juste qu'ils paient pour mes bêtises.

– Alors tu admets que c'est toi, la responsable ?

– Oui, j'ai touché cette statuette. C'est à cause de moi que Shadow a paniqué, qu'il a cassé vos marchandise et qu'il s'est fait renverser par une voiture. C'est de ma faute ! Tout est de ma faute, alors laissez Carrie et mes copains tranquilles !

La vieille femme rugit à travers la tempête.

– Ta vie entière, tu as fait du mal aux autres, causé des dégâts et déclenché des catastrophes, juste pour satisfaire ta curiosité ! Et, tout à coup, tu décides d'assumer tes responsabilités ?

Nathalie fondit en larmes.

– Oui, j'ai eu tort de ne pas vouloir accepter votre facture, mais vous avez tort, vous aussi. Je suis coupable et je vais payer ma dette, alors, je vous en prie, ne vous en prenez pas aux autres !

– Et pourquoi donc ?

– Parce que vous ne voulez pas seulement récupérer votre chat. Vous voulez que justice soit faite !

Un sourire satisfait fendit le visage ridé de Wanda.

– C'est vrai… alors je me contenterai de toi.

En hochant la tête, la vieille femme leva les bras au ciel et la foudre éclata.

Elle tira alors son bloc jaune de sa poche.

Trempée jusqu'aux os, Nathalie claquait des dents. Elle s'aperçut que le chat n'était plus froid, car elle sentait sa chaleur contre sa peau glacée. Elle fut soudain prise de nausées. Ses genoux faiblirent et elle s'effondra dans l'herbe. Tremblant de froid et de fièvre, elle se mit à tousser de manière incontrôlable. Toute son énergie la quittait pour être absorbée par Shadow. Au bout de quelques secondes, elle s'affala par terre, lâchant le chat qui reprit sa liberté.

Elle s'efforçait de garder les yeux ouverts malgré la torpeur qui la prenait. Shadow était ressuscité, bien entier de sa queue tordue à son oreille déchirée, avec une nouvelle cicatrice grise à l'endroit où il avait heurté la voiture. Il remua les moustaches en la dévisageant de ses grands yeux dorés et cracha.

Puis Nathalie aperçut les bottines de Wanda juste sous son nez. Elle ne pouvait pas lever la tête pour la regarder. Elle avait à peine la force de respirer.

Le chat secoua sa fourrure mouillée et sauta dans les bras de sa maîtresse qui se penchait vers lui. Son collier en argent tomba dans l'herbe contre la joue de Nathalie.

– Te voilà, mon mignon, murmura Wanda en le caressant. Tu es revenu.

Le chat ronronna.

A travers ses paupières à moitié closes, Nathalie contempla le collier qui avait perdu son étrange éclat. Elle luttait contre la torpeur qui l'engourdissait, convaincue que, si elle fermait les yeux, elle ne les rouvrirait plus jamais.

Mais elle ne résista pas longtemps. Alors

qu'elle sombrait dans le sommeil, elle sentit vaguement quelque chose sur sa hanche. Elle entendit dans le lointain Wanda recommander à son chat chéri :

– Tu as déjà vécu sept vies. Alors tu devrais faire attention en traversant la rue, maintenant, Shadow !

Le chat miaula.

Nathalie aurait souri si elle en avait eu la force. Elle sombra dans le coma, avec ces dernières pensées.

Shadow avait ressuscité. Sa sœur et ses amis étaient sains et saufs. Et elle était en train de mourir.

CHAPITRE 15

Une goutte d'eau s'écrasa sur le menton de Nathalie, puis elle en sentit d'autres tomber sur son visage et ses bras. Bizarre. Normalement, quand on est mort, on ne rêve pas !

– Nathalie !

Quelqu'un la secoua. On aurait dit Doug.

– Allez ! Réveille-toi !

Nathalie souleva péniblement une paupière. Doug était penché sur elle, les sourcils froncés. Peut-être qu'ils étaient morts tous les deux ?

– Qu'est-ce que tu fabriques dans l'herbe ?

« Très bonne question », pensa Nathalie. Elle se redressa sur ses coudes et cligna des yeux pour mieux voir. « Mais je n'en sais rien ! »

Il pleuvait, le tonnerre grondait, mais le soleil couchant lançait ses derniers rayons au-dessus des collines.

Le soleil couchant ? J'ai dû dormir une nuit et un jour complets... non ce n'est pas possible. Doug avait l'air intrigué, mais pas affolé.

– Où est Carrie ? s'inquiéta Nathalie.

– Elle regarde la télé en se bourrant de bretzels, tiens !

Steve venait de rejoindre Doug. Il avait tous ses cheveux et pas le moindre bouton.

– Mais tu trembles, Nat. Tu es malade ?

Déboussolée, Nathalie s'assit. Elle se sentait un peu étourdie et barbouillée, avec une migraine terrible. En fait, elle avait carrément mal partout !

– Tu as une de ces têtes, ma pauvre !

– Je suis en pleine forme, Doug, répliqua-t-elle avant d'être secouée par une quinte de toux.

Sa poitrine était en feu et elle avait du mal à respirer mais, au moins, elle respirait ! C'était le plus important !

Steve lui tendit la main et l'aida à se relever.

– Tu ferais mieux de rentrer au chaud. Appuie-toi sur moi.

Nathalie avait la tête qui tournait. Elle se laissa guider par Steve, qui ouvrit la porte de la maison sans problème. A l'intérieur, elle s'arrêta pour examiner l'entrée : le parquet n'était pas brûlé mais, cependant, Steve ne put s'empêcher de s'admirer dans le miroir !

Jane venait de raccrocher le téléphone lorsque Susie sortit de la cuisine.

– Je croyais que tu devais te changer, Susie, s'étonna-t-elle.

Nathalie se figea. Susie portait le short et le T-shirt vert qu'elle avait au début et ses cheveux étaient sagement nattés, comme avant.

– Oui, mais comme je ne sais pas quoi mettre d'autre, finalement, je reste comme ça, expliqua-t-elle en haussant les épaules. Ouh là ! Tu n'as pas l'air dans ton assiette, Nat !

Jane acquiesça.

– C'est vrai : tu as super mauvaise mine !

Nathalie essayait de remettre de l'ordre dans ses pensées. Elle ne pouvait pas avoir imaginé tout ce qui s'était passé avant qu'elle ne se réveille dans la pelouse !

D'abord, elle allait très bien lorsqu'elle était arrivée chez Susie. C'était Wanda qui l'avait rendue malade en absorbant toute son énergie pour ressusciter Shadow. Alors, elle s'était évanouie !

– Va t'allonger, Nat. Je t'apporte un thé avec du citron et du miel. Ça va te faire du bien, assura Susie. A moins que le lait chaud soit meilleur, je ne sais pas…

Jane reprit le téléphone.

Nathalie tituba jusqu'au salon et s'affala sur le canapé. Remarquant que le chat en bois n'était pas sur la table basse, elle vérifia dans son sac à dos. La statuette avait disparu.

En entrant dans la pièce, Carrie posa son sachet de bretzels sur le bureau. Elle en avait mangé la moitié et était toujours aussi grassouillette.

– Tu es tombée malade drôlement vite, Nat. Pourtant tu n'es pas allergique…

Nathalie haussa les épaules.

– Bah… j'ai dû attraper froid. Dis donc, est-ce que j'ai reçu un paquet avec une statuette de chat, hier soir ?

– Oui, c'est cette espèce de sorcière, Wanda, qui te l'a envoyé.

Nathalie soupira de soulagement. Elle n'avait pas eu d'hallucinations. Ce chat en bois avait bien existé. Mais il n'était plus dans la maison, parce qu'il s'était changé en Shadow, puis était reparti avec sa maîtresse.

Carrie écarquilla les yeux.

– Tu ne vas pas suivre les conseils de cette comptine idiote, hein ?

– Ne t'inquiète pas. Il ne t'arrivera rien.

« Le cauchemar est déjà passé et s'est bien terminé », pensa Nathalie en souriant, tandis que sa sœur retournait devant la télé avec ses biscuits.

Assaillie par une quinte de toux, Nathalie se rallongea. L'orage éclata dans un feu d'artifice d'éclairs et de gros roulements de tonnerre. La pluie tombait à flots.

Nathalie se traîna jusqu'à la baie vitrée pour la fermer. Dire qu'elle avait failli passer au travers !

Mais, maintenant, elle était tout à fait rassurée. Elle ignorait comment et pourquoi le temps avait fait marche arrière, mais elle n'avait aucune envie de le savoir. Ils avaient tous survécu. C'était tout ce qui comptait.

Même le vieux Shadow était vivant, finalement.

Nathalie s'écroula à nouveau sur le canapé. Dans sa poche, quelque chose la gênait pour s'installer confortablement. En effet, il y avait un papier jaune et le collier en argent du chat. Il n'y avait plus aucun doute : ce cauchemar avait été bien réel, elle en avait la preuve !

Le collier était glacé et il avait perdu son éclat. Il était tout terne, comme si le métal avait vieilli d'un coup, peut-être parce qu'il n'était plus magique. Elle le remit dans sa poche et déplia la feuille jaune.

Nathalie hocha la tête en découvrant l'en-tête familier : *Les Trésors de Wanda*. En dessous, la vieille femme avait griffonné :

Un chat : payé comptant.

Reste dû : treize pots d'herbes médicinales, quatre paniers... et ainsi de suite, pour un total de 64 dollars et quinze cents.

Tout en bas, il y avait un post-scriptum :

A régler avant lundi midi ou sinon...

Mais Nathalie n'était pas inquiète : elle avait un peu plus de trente dollars d'économies et elle demanderait à ses parents de lui prêter le reste. Lorsqu'elle leur expliquerait pourquoi elle devait tant d'argent, ils la puniraient sûrement et elle devrait faire pas mal de baby-sittings pour les rembourser. Mais c'était bien fait pour elle. Elle assumait !

— Tiens, voilà le thé que Susie t'a préparé, annonça Jane en déposant une tasse fumante sur la table basse.

Elle hésita un instant puis reprit :

– Ce n'est pas trop le moment parce que tu es malade, mais je voulais te dire quelque chose, Nat...

– Ne t'inquiète pas. Je te rendrai ce que tu as dépensé pour acheter une nouvelle teinture, promis. Mais j'ai d'autres dettes à régler d'abord.

– En fait, je voulais juste te demander d'en payer la moitié.

– Non, non, c'est de ma faute. C'est moi qui t'ai teinte en bleu !

Doug passa la tête dans la pièce.

– On va commander une pizza. Qu'est-ce que vous n'aimez pas, les filles ?

– Les champignons, répondit Jane.

– Les anchois, ajouta Nathalie.

Carrie avait accouru en entendant parler de pizza.

– Est-ce qu'on peut demander un supplément de fromage, dis, Nat ? S'il te plaît ?

– Bien sûr, ma puce. Tu peux même en demander une triple ration !

Elle la serra dans ses bras tendrement, ravie de la voir en pleine forme.

– Bon, pas d'anchois, pas de champignons et plein de fromage, récapitula Doug.

Puis il se retourna face à la fenêtre.

– Waouh ! Venez voir : la foudre s'est abattue sur une branche du platane.

– Plus tard, répondit Nathalie.

– Ça ne t'intéresse pas ? s'étonna Jane.

– Non, je suis trop fatiguée, expliqua son amie en bâillant.

En fait, elle s'en fichait complètement. Et ça, c'était très étrange ! Mais ce jour-là, Nathalie avait vu assez de choses extraordinaires pour satisfaire sa curiosité pendant très, très longtemps.

ÉPILOGUE
LA SOCIÉTÉ DE MINUIT

A part Nathalie, personne ne sut jamais ce qui s'était réellement passé durant cette nuit d'orage. Ses amis et sa sœur n'avaient aucun souvenir de la fin terrible à laquelle ils avaient échappé de justesse, mais Nathalie, elle, ne pouvait l'oublier.

Elle ne voulait plus s'approcher du moindre chat, car il y en avait assez dans ses cauchemars. Des squelettes miaulant aux canines aiguisées hantaient souvent son sommeil. Du coup, elle avait même vendu sa collection pour rembourser ses parents et Jane.

Peut-être que Wanda lui avait laissé ces mauvais rêves pour se venger. En tout cas, Nathalie s'en tirait bien : elle était vivante et elle avait appris à assumer ses responsabilités.

Elle s'intéressait toujours à tout mais, grâce à Wanda, elle ne souffrait plus de curiosité maladive.

A chaque fois qu'elle ressentait à nouveau cet impérieux besoin de savoir, elle sortait le collier en argent terni de son tiroir. Ça lui rappelait combien il était dangereux de se laisser entraîner par la curiosité.

Faites-vous peur !
Assistez dès maintenant
aux autres séances
de la Société de Minuit...

L'HISTOIRE DU MAGASIN DES SOUVENIRS

FAIS-MOI PEUR ! n°9

*Découvrez un extrait
de ce qui va vous faire trembler...*

Je dois le faire ! c'est la seule manière de libérer Wendy.

Mais il hésita encore.

– Et si V ne disait pas la vérité ? Comment puis-je me fier à lui ?

Il regarda le cadre accroché au mur.

– Je n'ai pas le choix !

Il brancha le haut-parleur et articula lentement, d'une voix ferme.

– Julianna et Emily, ne bougez plus. Je vais vous prendre en photo.

Julianna et Emily furent toutes étonnées d'entendre la voix de Max résonner dans la pièce sphérique. Elles étaient totalement absorbées par leurs jeux et leurs déguisements. Elles s'amusaient tellement que même Julianna en oubliait ses réflexes de méfiance habituels.

– Super ! Une photo. On pourra la montrer à papa et maman, dit Emily en prenant une pose rigolote avec le crocodile tandis que Julianna coinçait la bouteille de soda dans le bec du flamant rose et se serrait contre le grand oiseau empaillé.

– Cheeeeese ! résonna la voix de Max à travers le haut-parleur.

– Cheeeeese ! répondirent joyeusement les deux fillettes.

Elles pouffaient de rire en contemplant leur étrange accoutrement. Dans son atelier, Max abaissa le levier. Aussitôt, la température de la pièce chuta. Des cristaux de givre apparurent et, en moins d'une seconde, un mur de glace se forma tout autour de la pièce sphérique. La bouteille de soda éclata, et un soda congelé s'échappa du bec du flamant rose. Julianna et Emily poussèrent un hurlement. Elles essayèrent de courir l'une vers l'autre, mais en vain.

– Le froid me paralyse, dit Emily d'une voix éteinte, en prononçant chaque mot plus lentement que le précédent.

– Moi aussi ! fit Julianna, qui avait du mal à articuler car ses lèvres et les muscles de sa mâchoire étaient en train de s'ankyloser.

Julianna et Emily voulurent appeler au secours, mais leur cri ne parvint pas à s'échapper de leur gorge gelée. Leurs yeux s'étaient figés dans une expression d'épouvante. Elles étaient raides comme des statues, ridicules dans leurs robes de plage, à côté d'un flamant rose et d'un crocodile en plastique.

La neige se mit à tomber autour d'elles. Les quelques flocons épars du début se transformèrent rapidement en une véritable tempête. Les deux fillettes, les yeux dilatés par la terreur, étaient devenues les deux figurines de la nouvelle boule de neige de Max.

FAIS-MOI PEUR ! n°10

Découvrez un extrait de ce qui va vous faire trembler...

Ravi que ça te plaise. Il faut bien se mettre au goût du jour. Je suis un peu le génie des temps modernes ! Grâce à ces chèques, pas d'erreur possible. Tu auras juste à écrire la date, ton vœu et à apposer ta signature. Tant que tu n'auras pas fait ces trois choses, il ne se passera rien. Mais sitôt le chèque rempli et signé, je me mettrai au travail. Inutile de te presser. Prends ton temps et réfléchis bien à ce que tu désires réellement. C'est la seule façon d'obtenir ce que tu veux sans que tu aies à le regretter. Du coup, tu seras satisfait et moi aussi. Mais je te le répète : il faut que ce vœu soit digne d'intérêt, qu'il ait du piquant...

– Je vois, déclara Duncan, admirant l'esprit pratique du dragon... Je ferai de mon mieux.

– Excellent ! s'exclama le dragon en agitant ses pattes sous son nez. Maintenant, rentre chez toi et pense à tes vœux !

Duncan glissa le précieux carnet dans sa poche.

– Merci beaucoup, Renfrew ! Je vous promets de bien réfléchir et de vous trouver un souhait passionnant.

– J'attends de voir, mon jeune ami !

Moore reconduisit Duncan jusqu'à la sortie du magasin et il le regarda s'éloigner sur son vélo. Duncan avait envie de chanter tellement il était excité. Trois vœux ! Il allait pouvoir demander n'importe quoi, tout ce qu'il voudrait, il l'aurait !

Byron Moore revint dans la cuisine où Renfrew l'attendait, se léchant consciencieusement les babines de sa longue langue humide et frétillante.

– Alors, qu'est-ce que tu en penses ?

– Mmmoui… il m'a l'air valable, tu as fait le bon choix, répondit le dragon. Ce petit a l'œil vif, il ne doit pas manquer d'imagination. J'ai l'impression que nous allons nous amuser, avec lui. C'est exactement ce qu'il nous faut, n'est-ce pas ?

– Ha ! ha ! Enfin une nouvelle idée de scénario ! s'exclama Moore en se frottant les mains.

Renfrew eut un sourire carnassier.

– Je m'en régale d'avance ! siffla-t-il. Ce petit crétin est tombé dans le panneau, comme les autres. Il a tout avalé sans se poser de questions ! Mais une fois que j'aurai exaucé son troisième et dernier vœu… il faudra bien qu'il passe à la caisse. Par ici la monnaie ! On ne peut pas tirer de chèques sans provisions, sans payer quelques intérêts. A la fin de son troisième vœu, je pourrai enfin me régaler !

FAIS-MOI PEUR ! n° 11

*Découvrez un extrait
de ce qui va vous faire trembler...*

Qu'est-ce que tu fabriques ? demanda Doug.

– Je ne sais pas trop, répondit Zeke en pressant le pas, la torche à la main, mais tout le monde pense que je suis un débile. Si on réussit à sauver Carl, je ne passerai plus pour un gros nul, mais pour un héros.

– C'est complètement idiot ! Tu ne peux pas...

Doug le tira par le bas de son short, mais Zeke n'avait nullement l'intention de ralentir...

Mais se balader dans les bois en pleine nuit était une mauvaise idée, vraiment. Doug agrippa son cousin et lui secoua le bras.

– Tony a dit qu'il avait vu des monstres !

– C'est ça ! s'exclama Zeke tout en continuant d'avancer sans se retourner.

– On ne sait jamais, reprit Doug en reniflant.

Zeke s'arrêta brusquement.

– Eh, écoute !

Un cri de détresse retentit juste devant eux.

– S'il vous plaît, ne me faites pas de mal, pitié...

Des lumières clignotaient à quelque cent cinquante mètres de là. Il y en avait plus de six. Peut-être huit.

Zeke se remit en marche. Doug essaya de l'arrêter en lui serrant fermement le bras et en traînant ses pieds dans les épines de pins et le terreau humide. Il parvint presque à l'empêcher d'avancer quand leur lampe-torche éclaira la source de ces scintillements.

Les deux garçons étaient pétrifiés.

Entre les arbres, rendues visibles par la lueur tremblotante de la lampe et le propre éclat de leurs pulsations lumineuses morbides, huit formes apparurent. Elles dépassaient de plusieurs têtes la taille moyenne d'un être humain. Ces créatures avaient de longs visages, de grands crocs jaunâtres qui sortaient de leurs mâchoires ouvertes, des langues pendantes violacées et des yeux noirs. Leurs crânes étaient couverts de cheveux bruns dressés comme des épines de porc-épic. Leur peau était aussi transparente que de la glace, mais couverte de liquide visqueux et d'épines de pins. A l'intérieur de leur cage thoracique, les deux cousins virent clairement battre des cœurs, chaque pulsation attisant la lueur d'une flamme.

Les monstres se disputaient une proie qui n'était autre que Carl, pâle comme un mort et les yeux exorbités. Ils tiraient sur ses bras et ses jambes, grognant, râlant et se disputant comme une bande de hyènes. L'un d'eux retenait les cheveux du pauvre garçon entre ses crocs acérés. Il poussait des cris de rage contre les autres, tout en secouant la tête de sa victime pour essayer de mordre dans sa gorge.

Doug et Zeke poussèrent un cri de terreur.

Les huit monstres se retournèrent et posèrent leurs regards menaçants sur eux...

L'HISTOIRE DES CRÉATURES DE PIERRE

FAIS-MOI PEUR ! n°12

*Découvrez un extrait
de ce qui va vous faire trembler...*

Tout en songeant tristement à son ami, Dustin continua d'avancer comme s'il allait à l'abattoir. En arrivant dans le hall d'entrée, il s'arrêta net devant une statue qu'il n'avait jamais remarquée. Une statue criante de vérité. Elle représentait un garçon en train de crier d'effroi, la tête rejetée en arrière.

En la voyant, Dustin devint livide.

– Avance ! ordonna le gardien.

– Non, attendez, balbutia Dustin.

– Avance, je te dis ! répéta l'homme en lui tapant dans le dos d'une manière pas vraiment amicale.

Dustin était anéanti. Il aurait tout donné pour pouvoir revenir sur ses pas et examiner la statue de plus près. Mais avec ce colosse sur ses talons, inutile de parlementer. Il accéléra pour rejoindre Brianne qui descendait déjà les marches de l'entrée principale. Avant de sortir, elle se retourna pour tirer la langue au gardien.

– Voilà ce que j'en pense de votre sale musée pourri ! cria-t-elle tout en sachant qu'il ne risquait pas de l'entendre.

Puis elle se tourna vers son frère en souriant.

– C'est peut-être bête, mais je me sens mieux !

– Eh bien pas moi, rétorqua Dustin d'un air sombre.

La pluie s'était arrêtée mais il y avait toujours une humidité terrible dans l'air. Avant d'aller récupérer leurs vélos, ils traversèrent la pelouse gorgée d'eau puis ils firent une pause sous la pergola du jardin public et s'assirent sur un banc à peu près sec.

Dustin contempla le vélo de Tim en essayant de ne pas repenser à ce qu'il venait de voir.

– Cette statue… murmura-t-il, la gorge serrée.

– Quelle statue ? On en a vu des centaines ! riposta Brianne.

– Celle de l'entrée… Un garçon en train de crier, tu ne l'as pas remarqué ?

– Non, je commençais à saturer, si tu vois ce que je veux dire. Je n'ai pas fait attention. Pourquoi ?

– On aurait dit Tim.

– Mon pauvre vieux, tu dois avoir de la fièvre, soupira Brianne en lui mettant la main sur le front. Tu délires complètement !

– Non ! Je sais parfaitement ce que je dis. Je connais le musée comme ma poche et je n'ai jamais vu cette statue auparavant… Mais c'est Tim, j'en suis sûr !

FAIS-MOI PEUR ! n°13

*Découvrez un extrait
de ce qui va vous faire trembler…*

L'*Aigle des mers* comptait sept niveaux. Le plus haut abritait la passerelle de navigation et les anciens appartements du capitaine : il était généralement réservé aux officiers du navire et à certains membres de l'équipage. Les quatre ponts suivants – pont des embarcations, pont promenade supérieur (au-dessus de la ligne de coque), pont promenade inférieur et pont A (sous cette ligne) – formaient le « territoire des passagers » : là se trouvaient les cabines, les salons, les salles à manger et la galerie marchande. Les ponts restants, B et C, incluaient les machines, les cuisines, la blanchisserie et toutes les autres fonctions qui faisaient que les passagers n'avaient qu'à tendre la main pour obtenir une boisson fraîche ou un en-cas à toute heure du jour et de la nuit. C'était là le « territoire de l'équipage », interdit aux passagers, où s'affairaient des hommes et des femmes en uniforme bleu ou tablier blanc.

En toute logique, plus la cabine était basse dans la navire, plus elle était étroite. Norris avait l'A-13, un placard luxueusement aménagé à l'avant du pont A. Il errait à la recherche d'une échelle pour descendre quand il sentit sur sa peau un souffle glacé. Il frissonna et se demanda d'où pouvait venir un tel courant d'air sur un pont fermé. Soudain, une tache noire apparut au pas de course. Elle s'arrêta brutalement et se transforma en une jeune fille qui posa de grands yeux verts sur Norris.

– Tu l'as vu ? Par où est-il allé ?

– Euh… De qui parles-tu ?

– Le garçon en costume de marin : vareuse, béret noir, pantalon de laine. Je l'ai vu entrer dans cette pièce !

Elle frappa sur la cloison.

– Mais quand je suis entrée à mon tour, il avait disparu. Quelle direction a-t-il prise ?

Norris tourna la tête de gauche à droite, perplexe.

– Je n'ai vu personne. Le couloir était vide jusqu'à ton arrivée.

– La seule autre sortie, c'est à travers le mur, dit-elle en écarquillant les yeux. Donc j'avais raison – c'est un fantôme !

– Pardon ?

La jeune fille lui décocha un regard impatient.

– Un fantôme ! Tu sais bien – un revenant, un esprit, une âme perdue qui hante le lieu de sa mort…

– Je sais ce qu'est un fantôme, répliqua Norris avec une pointe d'agacement. Tu veux dire que tu crois en avoir vu un ?

FAIS-MOI PEUR ! n°14

Découvrez un extrait de ce qui va vous faire trembler…

La fenêtre était bien fermée et la lumière du petit jour commençait à filtrer à travers les rideaux.

Cette vision rassurante aida Emma à y voir plus clair dans ses pensées. Petit à petit, les pièces du puzzle commençaient à s'assembler. Le mystère Braun était résolu.

Emma sauta hors du lit et se précipita dans la chambre de son frère. Il dormait comme un loir, douillettement lové sous sa couette. Elle s'agenouilla près de lui et le secoua légèrement.

– Dada ! Dada, réveille-toi ! dit-elle à voix basse pour ne pas que ses parents l'entendent.

Mais David se contenta de lui tourner le dos en grommelant :

– Je veux pas aller à l'école ce matin, maman ! Je ne me sens pas bien…

Emma colla alors sa bouche contre l'oreille de son frère et répéta avec impatience :

– Il faut que tu te lèves, Dada, et plus vite que ça ! Tu m'entends ?

– Quoi ? Qu'est-ce qui se passe ? grogna-t-il en ouvrant un œil vaseux.

– J'ai trouvé ce qui cloche avec les Braun.

– Moi aussi : ils ont une voisine complètement givrée et elle s'appelle Emma Toll !

– Écoute-moi bon sang ! insista-t-elle. Je vais tout t'expliquer. C'est très sérieux. Je viens enfin de comprendre pourquoi ils ne sortent jamais en plein jour. Tu te souviens d'où ils viennent ?

Elle se leva pour aller allumer la lampe du bureau et rapporta l'atlas qu'elle se mit à feuilleter rapidement.

– Là ! regarde : Rovno, Ukraine. Et juste à côté : les Carpates et la Transylvanie… Ça ne te dit rien ? Maintenant tout s'explique : les chiens qui grondent à leur approche, les gens qui tombent malades après leur passage. Sans oublier les bandages qu'ils portent autour du cou. Il n'y a qu'une explication.

– Ah oui… et laquelle ? demanda Dada en bâillant à s'en décrocher la mâchoire.

– Nos voisins sont des vampires !

Pendant quelques secondes, David dévisagea sa sœur comme si elle était tombée sur la tête.

– Et tu viens me réveiller à cinq heures du matin pour m'annoncer ça ? Je rêve ! pesta-t-il en se mettant la tête sous l'oreiller.

– Non, Dada, c'est la vérité. Ce sont des vampires, j'en mettrais ma tête à couper !

Loi n°49-956 sur les publications destinées à la jeunesse
ISBN : 2-07-052722-0
Dépôt légal : avril 1999
Numéro d'édition : 90709
Imprimé sur les presses de l'imprimerie Hérissey
Numéro d'impression : 46553